鉱脈

黒瀬まり子

鉱脈

「夫　ショーン先生こと桝本尚は、三月二十八日、極楽浄土へ参りました。ひとりになり寂しくなりましたが、これもまた仕方のないことだと思いなおし、ようやく近頃、遺品の整理をはじめたところです。遅くなりましたが、生前、彼からあなたへとことづかっていたものをお送りします。どうか受け取ってやってください。コモンズへもまた遊びにいらしてね。　富美」

去年のクリスマスに、もみの木とその周りでくつろぐ猫たちを描いた小さな水彩画を送った時には、元気そうな声で電話をくれ、生き生きとした線と色使いが好きだと褒めてくれた。それが、ショーン先生と言葉を交わした最後だったのだと気づき、史緒里は愕然として目を瞬《しばた》いた。では、最後に会ったのはいつだったか。

仕事のために実家を出てからも帰省のたびに立ち寄っていたが、両親が転居してからは足が遠のいていた。ショーン先生との折々の手紙のやり取りは続いていたが、思い返せば今年出した暑中見舞いに返事はなかった。実際に会いに行ったのは、知人が企画するイベントのついでに寄った時が最後だから、もう数年前だ。史緒里が持参したモナカを、ペロリと二つ平らげ、富美さんが立ててくれたお抹茶をズズっと啜っていたショーン先生は、耳が遠くなり、そのせいで大きくなった話し声以外は、以前と変わらない様子だったので、勝手に安心しきって、いつでも会えると思い込んでいた。

史緒里は、急に表面を保護していた膜をずるりとむかれてむき身になったような痛みと、心許ない気分を感じ、それに飲み込まれてしまわないよう、富美さんが送ってくれた小箱に目を落とした。赤い漆塗りの蓋には、小さな蝶が舞っている。
なぜ、もっと会いに行かなかったのだろう。車を走らせれば日帰りできるどうってことない距離なのに。生きているうちに、もっともっと会って話をすればよかった。会いに行こうと思って、会いに行ける距離、会いに行ける空間にいられる時間は、実はとても短かったのだ。

単なるご近所さんにすぎない史緒里を、幼い頃から可愛がってくれたショーン先生は、自宅の離れをコモンズと呼び図書館として開放していた。ショーン先生が夫婦で住む母屋から中庭をはさんで反対側に建てられた平屋は、たくさんの本棚の他に、読書用のいくつかの椅子とテーブルが配置され、柱時計が時を刻むカチカチという音が静寂の中に響いていた。コモンズの扉を開け、靴を脱いで玄関を上がると、右手に部屋があり、中庭に面する大きな窓からはレース越しに木漏れ日が揺れていた。そこには低めの本棚があり、富美さんが集めたという絵本や児童書が、そして背の高い本棚には美術書の類が並んでいた。中央の円卓の周りにはぐるりと座り心地の良い椅子があって、富美さん主催の読書会は、毎回そこで行われるのだった。北側に広がる部屋の奥には、背の高さをゆうに超えるいくつもの本棚があらゆる本を抱えて林のように立ち並び、その向こうに来客用のソファーとテーブル、それからショーン先生が書き物をするときに使う机と椅子があった。部屋の真ん中に位置する柱に、中庭を向いた手巻き式の柱時計がある。史緒里にはそれがものめずらしく、ショーン先生が時折時計の扉を開け、ネジを巻く作業をはじめると、必ず横で食い入るように見たものだった。

静かな分、鳥の歌声や木々のざわめき、はるか上空を行く飛行機の音までよく聴こえた。その場所で本を広げると、本の中に文字として閉じこめられていたどんな音もページからふわりと飛び立ち、空気をふるわせ、本当に聞こえてくるような気がするのだった。

必要以上に構うことなく自由にさせてくれるショーン夫妻が作るコモンズの空間は、史緒里にとってはいつだってくつろげる最高の居場所だった。家からすぐの距離をいいことに、小学生の頃から毎日のように入り浸っては、本を読んだり、絵本や画集を眺めたりして時を過ごしてきた。美しいものが好きな史緒里が何度も手に取っていた水彩画の絵本の画家が「いわさきちひろさん」だと教えてくれたのは富美さんだった。『ドリトル先生』シリーズも、『星の王子さま』も『モモ』も、全部コモンズで読んだ。中学生の頃にはコモンズの画集や写真集の類にはほとんど目を通し、いつしか気に入った作品を真似て、絵を描くようにもなった。ほとんどというのは、「これはまだあんたには早いから」とそれとなく隠され、見せてもらえないものがいくつかあったからだ。今思えば、あれは春画の類だったのだろう。

ショーン先生は、長いこと大学の先生をしていたそうで、退官してからは、日中のほとんどをその平屋で書き物や読書をして過ごしていた。富美さんの読書会がある第一水曜日の午前中は、常連さんが集まり賑やかになるが、史緒里が訪れる放課後は大抵貸切状態でひっそりしていた。その静寂の中で、ショーン先生が万年筆を走らせる音が聞こえてくると、史緒里はいつも満ち足りた気分になるのだった。艶のある万年筆の美しさもさることながら、そのペン先から流れてくる軽やかな音が史緒里を魅了するのだ。富美さんの読書会は、今も変わらず続いているのだろうか。

そうそう、ショーン先生にお客がある日の楽しみもあった。本棚の林の向こう、奥まった場所に設えてあるソファー席からショーン先生の晴れやかな声が響いてくるとお客さんがいるということだった。本の壁に吸収されてまるまった音声は楽しげな音楽のようだったし、そんな日は、富美さんがサクサクのクッキーを焼き、紅茶を淹れ、「私たちもお茶にしましょう」と円卓の席に史緒里を誘ってくれるのだ。いつだってクッキーはバターとアーモンドの良い香りがしたし、富美さんは毎回、素敵なティーカップを用意してくれるので、史緒里は自分が一人前扱いされているのが嬉しかったことまで思い出す。

高校に入学すると、授業や部活で遅くなり行けない日が続くようになったが、それでも定期試験の最終日や長期休暇には、ふらりと訪ね、目についた本を手に、静かな時間を過ごすのが変わらず好きだった。

その後、意気揚々と地元の美大に進学した史緒里だったが、大学で本格的に絵に向き合い始めると、周りの全員が自分よりずっと素晴らしく思えて、何を描いてもしっくりこない時期が続いた。どれだけ描いても満足できるものが生まれてこないのだ。そんなときは、なにもかも放り出してコモンズを訪れては、見慣れた画集を広げてぼんやりと過ごしていた。行くたびにあまりにも史緒里が浮かない顔をしていたのだろう。ある日、相変わらず沈んだ様子でやってきた史緒里に、ショーン先生は、

「あんたは、これ、覚えてる？」

と、唐突に一枚の紙を差し出した。手にとってポストカードほどの大きさのそれを見ると、画面いっぱいの似顔絵があった。大きな丸い目にカールした茶色い髪の毛がショーン先生にそっくりだ。見覚えがある気もするが……と見つめていると、ショーン先生は待ちきれないように

「ほら、あんたが小学校の時に描いてくれただろう。ショーン先生、あんたが描く絵、僕は好きだよ。あんまり気に入ったんで、書斎にずっと飾っているんだよ」

そういってカラカラと笑い、史緒里が持つ絵を裏返すと、そこには「しょう先生、おたん生日おめでとう」とあった。

そう、あれは、小学校四年生。明日がショーン先生の誕生日と知って、何かプレゼントしようと思い立ち、家に帰ってからボールペンと色鉛筆で夜じゅうかけて描いたものだ。それを長いこと飾ってくれていたと知り、史緒里は嬉しさで思わず顔が綻ぶのがわかった。でも、素直に表に出せない複雑な表情で

「え、今ならもっと上手に描けるのに」

とつぶやく史緒里に、ショーン先生は、

「それなら、ぜひ僕の肖像画を一つ描いてくれないかい。遺影になるような本格的なやつを。もちろんお代はお支払いするよ」

「遺影なんて、まだ先でいいでしょう。もっともっと上手になって、先生がヨボヨボのおじいちゃんになってから、描きます」

「いやいや、人間、いつ何が起こるかわからんから、あれば安心だよ。頼むよ」

そんなわけで、史緒里が初めてお代をいただいて絵を描いたのは、ショーン先生からの依頼だった。

その夏は、連日コモンズに通い、真面目な顔でモデルをつとめるショーン先生のカールした前髪や、意外に長いまつ毛、メガネの奥の力みなぎる眼差しに向き合った。せっかくの真面目な顔だったが、ショーン先生のクイッと口の端があがった表情がどうしても描きたくて注文をつけると、「こうかい？」と無理やり口元を引きあげるショーン先生は、ひどく不自然でぎこちなく、大笑いしたことを思い出す。絵が仕上がる頃には、ショーン先生は出窓の脇に置かれた肘掛け椅子に座り、暇だけはあるからと、史緒里の何気ないおしゃべりに付き合ってくれるようにもなっていた。この間見た映画がつまらなかったとか、大学の学園祭の準備で友人同士が揉めているなんて話す史緒里に、いつもは「そうかい」とか「そりゃ大変だな」とかいいながら耳を傾けてくれるショーン先生だったが、史緒里が大学の同期と比べて下手な絵しか描けない自分が嫌になるともらしたときだけは、まっすぐな目で史緒里を見つめ、

「人と比べたってしょうがないよ。あんたはあんたなんだから。僕はね、No.1 より Only One が大事なんだって、いつだって思ってやってきた。そして、それは間違ってないと思っている。あんたはあんたしか持たない、いい目といい色がある。それを使って描くあんたの絵は、あんたの中に流れている音楽だって聴こえてくるようだよ。だから僕は、あんたの絵が好きなんだ」

そういうと、カカカッと笑い、史緒里の弱気を吹き飛ばしてくれた。
その秋、いただいたお代は、史緒里の人生初の万年筆に姿を変えた。

あの頃はまだ、「しょう先生」と呼んでいたっけ。

「しょう先生」が「ショーン先生」になったのは、ある本がきっかけだった。肖像画を無事完成させせ、史緒里が自分にとってのOnly Oneを漠然と考え始めた頃だ。コモンズの本棚、いつもは素通りしている棚の隅にひっそり置かれていたその本は、紺色の背表紙に銀色に輝く文字で『鉱脈』と記されていた。その隣にも、全く同じものが並んでいた。左側のひとつを何気なく手に取り、ページをめくった史緒里は、真っ白なページが続く本を手に、ぽかんと立ち尽くした。表紙をまじまじとみる。それから、一番初めのページからめくるとほんの数ページの文章が印刷された後、ふっつりと途切れ、それから先はどこまでも真っ白なままだった。右隣に並んだ同じ本を念のため確認しても、やはり真っ白なのでこういうものなのだろう。

鉱脈
　　　　スミノリョウ
「きみは、きみの内にある鉱脈の存在に気づいているかい」
その石を手にした瞬間、突然、脳内に響いてきた声を無理やり日本語に翻訳するとすれば、そんな言葉だった。

周りを見回す。誰もいない。石に目を落とすと、いつの間にか、両手で抱えた黒い石のふちに、何やら小さき人がブーツを履いた足をぶらぶらさせ、腰掛けていた。オレンジのつなぎを着て、手にはランタン、腰にはロープをぶら下げている。クリクリの瞳とカールした髪をもつ彼は、息を飲み黙り込んだ私に、ショーンと名乗った。私は、ひとまず自分を落ち着かせるために、挨拶をした。

「こんにちは、ショーン」

こんな時は、いつも習慣にしていることをブレずに続けることが役に立つ。声は変わらず直接頭に響いてくるが、私は、しっかりと声帯を震わせて言った。

「うん。やっぱりぼくが見込んだだけのことはある。目の前に起こることをそのまま受け止めるきみは、きっと、きみの内なる鉱脈の存在にも気づいている。違う？」

何の話をしているのだろう。沈黙を続ける私に、ショーンは、おもむろに立ち上がり、赤い火が揺らめくランタンを掲げた。それから私を見上げ、こんな風に続けたのだった。

「お願いだから、簡単に『鉱脈なんかない』なんて言い切らないでくれよ。その存在を知り、あると信じて目を凝らす時、それはようやく形を持つ確かなものとして、きみの前に現れてくる。きみはまだ気づいていないかもしれないけれど、地上に生を受けた瞬間から……イヤイヤ違うな。それ以前の、地球誕生から今日までの間に、鉱脈は確実に息づき、きみに発見されることを待ちわびているはずなんだから。

鉱脈は、日も当たらない地下深くに、ひっそりとある。だが、一見平坦な地面のその下では、地は絶えず動き、岩盤は割れ、その裂け目を熱い蒸気やマグマが満たし、やがて冷え固められていく。そうした地球の営みによってできた鉱脈に含まれる鉱石の種類や組み合わせは実に多様で、一つとして同じものはない。形や大きさだってそうだよ。地球の体内には、無限の鉱脈が、今この瞬間ですら生まれ続けている。

それとは少し趣が違うが、人間だって誰もが、心の内に自分だけの鉱脈を抱えているんだよ。なのに、多くの人間は、退屈な日常を嘆き、自分は平凡だと決めつけている。なんてもったいないことだろう。石と違って、きみたちの命はたかだか百年だろう。ぼくらの感覚ではほんの一瞬さ。だからね、ぼくは人間の鉱脈探しの手伝いをすることにしたんだ。きみらが内なる鉱脈の存在に気づき、そこに含まれる独自の鉱石のカケラと共鳴する何かで人生を彩っていく。そんな生き方、素敵じゃない？ ぼくにその手伝いをさせてほしいんだけど、だめかな？」

私の内にも、私だけの鉱脈があるのだろうか。鉱石のカケラと共鳴する何かを、今からでも見つけられるのだろうか。

私が声に出さなくても、ショーンにはしっかり伝わるようだ。

「見つかるに決まっているよ。きみの中で、どうしても動かずにはいられないようなことや、気になっていることがあるんじゃない？ できない言い訳はなし。どうしたらそれができるかって考えてみて、ワクワクと心浮き立つ、そんな感じがあるのなら、それはきみの鉱脈に含まれる鉱石のカケラが反応している証拠さ。その周辺をじっくりと目を凝らして探せば、きっと見つかる。一見何でも無いようなものでも、きみの心が弾むのなら、それはきみにとって意味あることなんだから、堂々とそれに人生を費やせばいいんだ。

金や銀だけが価値ある鉱石だと思ってはいけないよ。価値なんてものは、希少だとか、使い勝手がいいだとかいう一部の人間の都合によって自分勝手に決められたものでしかないんだから。きみの鉱脈がどんなものであっても、地球の営みときみ自身の命が育んできた唯一無二のものだってことを心に留めておいてほしい。そこに含まれる物質の輝きに、きみ自身が気づくことが何よりも大切なのさ。そうそう、忘れちゃいけないのは、その時に目だけに頼ってはいけないってこと。澄んだ透明感があったり角度によって虹色に輝いたりする鉱石はもちろん美しい。ハッと目を引く青や緑もある。でもそれだけではない。なんの変哲もない黒い石が、打ち鳴らすとまろやかで透き通った音をたてることだってあるんだよ。ほら、この石をもう一つの石と打ち鳴らしてごらんよ」

ショーンはそう言うと、ひょいと私の手のひらに飛び乗り、愛敬あるクリクリの目で私を促した。ランタンの火は彼の左手で赤々と安定して燃え、彼の瞳に力を与えている。左手に彼が現れた石、右手にもう一つの石を取り、おそるおそるやさしく打ち鳴らす。心地よい振動が手のひらを駆け上り、ショーンの小さな体も震わせている。その音色は天空へと真っ直ぐ伸び、私は思わず頭上を見上げた。私の内なる鉱石のカケラたちは、その音とともに旅立とうと、今、目を醒ましたのがはっきりわかった。

「さあ、きみの鉱脈を探す物語を、はじめよう」

その場で立ったまま一気に読んだ史緒里は、このひとつだけの短い物語に登場する小人のショーンにすっかり魅了されてしまった。そして、しょう先生そのものじゃないかと浮き立つ心を抑えられなかった。「しょう」という名前の響きと重なるところも、押し付けがましくないのに、明るい方へ明るい方へと力強く後押ししてくれるところも、とてもよく似ていた。

宝物を見つけた小学生さながら、本を手に「しょう先生がこの中にいた！」とはしゃいだ史緒里は、それからしょう先生のことをショーン先生と呼ぶようになった。ショーン先生も、「まあ、君がそう呼びたいなら」と笑って許してくれていたし、富美さんは「あら、素敵じゃない」と面白がり、その年の誕生日には「ショーン先生　お誕生日おめでとう」と書いたケーキを用意したくらいだった。

「この鍵はあんたが持っておくといい。それと、この本はあんたにやろう」

ショーン先生がそういって『鉱脈』をくれたのは、その年の木枯らしが吹く頃だった。

冬のひと月をお子さんがいるイタリアで過ごすことにしたというショーン夫妻が、自分たちが不在の間も史緒里がコモンズで過ごせるようにと、離れの鍵と一緒に『鉱脈』を一冊手渡してくれたのだ。

「この本、どうして二冊あるんですか」

史緒里が聞くと、

「一冊は僕が買ったんだよ。そのすぐ後に、この本を書いたスミノさんという人が献本、つまりプレゼントしてくれたんだ。それで長いこと、ここに二冊並んでいたんだ。短い物語のあとに白紙のページが続くのは、持ち主が自分の鉱脈を探す旅を書き記して使ってほしいということなんだそうだ。まあ、好きに使ってくれていいが、あんたはちょうどその旅に出ようとしているところだろう。だから、この空白を、絵でもなんでもあんたなりのやり方でうめて、この本を完成させてみるのも悪くないんじゃないか」

そういうと、ショーン先生は富美さんと一緒にイタリアへ旅立って行った。

はじめは受け取ったその本に何を描いていいかわからず戸惑ったものの、自分の鉱脈を探すのならば心が動いた何かで充たしていけばいいと思い、スクラップブックのように出かけた美術展の半券や気になった雑誌の切り抜きを貼ったり、サラサラと音を立てながら万年筆で目にとまった詩や文章を書きつけたり、恋心を寄せる人を密かにデッサンしたり、これから叶えたい夢やひらめきをひたすら書き留めたり、訪れた旅先の景色を映し取ったりするうち、いつしかページは埋まっていった。今も時折書き加えながら、未完のまま手元にある。鉱脈が見つかったかと聞かれると自信はないが、それでも絵を描いて暮らしを立てていることを思えば、健闘しているとはいえるだろう。

思い返せば、ショーン先生と富美さんからはたくさんの贈り物を受け取っていたのだ。

最後に渡されたものは、いったい何なのだろう。

貝殻の白い蝶が舞う繊細な細工が施された漆塗りの小箱の蓋は、触れると艶やかで滑らかな柔らかさがあった。息を吸い、静かに蓋を開ける。

「これ……」

そこには見慣れた本が一冊収まっていた。ショーン先生から手渡された『鉱脈』とともに歩んできた史緒里は、旧知の友と再会したような気がした。もう一冊の『鉱脈』だった。そしてその上に、ショーン先生からの手紙が添えてあった。

おずおずと手に取り、慎重に封筒を開ける。便箋には、一文字一文字分解されて丁寧に紙の上におかれた文字たちが、万年筆の震える筆跡で、別れを惜しむように並んでいた。ショーン先生の万年筆は、いつだってブルーブラックだったのを思い出す。それらはかつて史緒里が見慣れた、いつだって考えが先走り文字が追いつかないようなショーン先生の難解な続き文字とは違っていて、胸が締めつけられた。あの頃の勢いは失われ、それでも最後に何かを伝えようと、時間をかけてしたためてくれたのが十分過ぎるほど史緒里にはわかった。


この手紙があんたのところに届いたってことは、僕は無事、使い古した身体を離れて次の場所へと行けたってことだ。いやぁ、いい人生だった。あんたが描いてくれた僕の肖像画を遺影にしてくれと遺言してある。だから、またいつでも僕のところに、会いに来てくれたらいい。あの絵じゃ若すぎやしないかって心配は無用だよ。あれくらいがちょうどいいんだよ。いつも今が一番若いと思って生きてきたけど、やっぱり歳をとるとあちこちがたが来る。無理がきかなくなる。思う通りに体が動き、気力も満ちていたあの頃が、今じゃあ輝いて見える。おまけにあんたが素晴らしく男前に描いてくれたものだから、あれより他に相応しい遺影なんてないさ。

ところでこの本、覚えているだろう。二冊あるこの本をあんたが見つけて、一冊はあんたのところに行ったはずだ。その後、鉱脈を探す物語はどうだい？　手渡した時に少し話したかもしれんが、この本は、スミノさんという僕の昔の教え子が書いたものだ。あんたも知ってのとおり、最初の数ページだけに物語があり、残りは白紙。読者が自分で自分の鉱脈を探して続きを紡いでほしいということらしい。あんたの本は僕が買ったもので、僕の手元にずっとあったこれは、スミノさんが送ってくれたものだ。あんたはあの本の続きのページに、絵を描いたりしているのを一度見せてくれたことがあったよな。そうか、こんな風に使うことができるのかと、僕は感心したよ。歳をとると、頭が硬くなっていかん。僕は使う機会もないままで、中はまっさらだ。ここにきてそれが気がかりでならなくてね。せっかくスミノさんが作ったこの本を、使われることなくコモンズの本棚に埋もれさせて終わらせるのは気の毒だ。それで、あんたに託すことにした。あんたが鉱脈を探す旅をいい具合に歩んでいることは、これまで送ってくれた手紙やらあんたの作品からしっかりわかる。きっと本も喜んでいるだろう。

そこでなんだが、あんたに頼みがある。あんたなら、これから鉱脈探しの旅路に向かう若者に出会うことも、きっとあるだろう。この人は、という人が見つかったら、あんたの手からこの本を手渡してやってほしいんだ。この本は、あんたから誰かに、手渡される必要がある。僕はそう思っている。どうかよろしくお願いします。

コモンズは僕がいなくなっても続くように、富美と子どもたちに頼んである。鍵も昔のまんまだ。いつでもまた来るといい。死後の世界がどういうものかはさっぱりわからんが、時々は奥のソファーで日向ぼっこをしながらうたた寝しておるかもしれんよ。

では、あんたもよい人生を！


便箋から目をあげると、いつの間にか雨音が響いていた。太陽の光は降り注ぎ、雨の雫を銀色に照らし、まるで宝石のような美しさだった。

史緒里は窓辺に移動すると、大きく窓を開け放った。降り始めのほんの一瞬、大地からたちのぼる香りが鼻腔に届く。むっとした外の空気を、深く吸い込む。ああ、この香り。

ショーン先生の旅立ちを知った今も、自然の営みはつゆほども変わらずに続いていく。そのことに少しだけほっとする。天の雫は、てんでバラバラに地上に降り注ぎ、着地点の材質によってあらゆる音色になり、乾いた地面を湿らせている。

カラッとした人ではあったが、去り際までこうも晴れやかな手紙を残して去っていかれては、しんみり涙を流すこともできないじゃないか。

ショーン先生が託してくれた『鉱脈』を手に取り、何気なく表紙を開く。

端正な文字が、行儀良く並んでいた。

敬愛する老賢者様
あなたがかつて、私に手渡してくれた知恵の言の葉を
私はこの物語で、次につないでゆきます。

Su.

献辞だ。

すぐにわかった。

スミノさんも、ショーン先生から受け取った何かと共に、自分の鉱脈を探し当てた人なのだ。

スミノさんが紡ぎ、ショーン先生のもとで長い時間を過ごしたこの本を、私が次につなぐのだと思うと、史緒里は身が引き締まるようでもあり、同時にサンタクロースにでもなったような不思議な高揚感が湧き上がってくるのだった。


会いに行こう、今すぐに。

ショーン先生の遺影に。富美さんに。


史緒里は、本棚から自分の書きかけの『鉱脈』を取り出した。それから、ライティングテーブルの

小引出しからコモンズの鍵を探り出し、二つともカバンに入れた。手紙ともうひとつの『鉱脈』を小箱に戻し風呂敷に包むと、車に飛び乗った。

ドライブにして片道2時間の距離。途中でショーン先生がコーヒー好きだったことを思い出し、お供え用にコーヒー豆も買った。

思い立てばこんなにすぐできることを、私はどうしてこれまでせずにいたのだろう。死んでしまえば、あんなに好きだったコーヒーも飲めないというのに。コーヒーの香りで充たされる車内で、昔よく聴いたピアノ曲を聴くともなく聴いていると、思いは次から次に流れ、コモンズでの記憶がとりとめなく浮かんでは消えていった。

富美さんと生きて言葉を交わせる時間だって、こうしている間にも手のひらから砂がこぼれ落ちるように減っているのだ、きっと。そう考えると、史緒里は切なく、心細くて仕方なくなり、それとともに先ほど感じたむき身の痛みが、また戻ってくるのだった。


「しーちゃん、来てくれたの！まあまあ、なんてタイミング」

史緒里がコモンズの玄関に現れると、ちょうどテーブルの上で何やら作業をしていた富美さんが、史緒里に気づいて目を丸くし、そう呼びかけた。

幼い頃から富美さんは、史緒里のことをしーちゃんと呼んでいつも可愛がってくれていた。すでに中年の域に入る史緒里をそんな風に呼ぶ人は、今や富美さんくらいだ。室内は昔とほとんど変わっていないようで、時が巻き戻り、ここを初めて訪れた頃にタイムスリップしてしまった気がする。小学校までの通学路の途中にあるコモンズを知ったのは、偶然だった。下校時間を狙ったように降り出した雨にずぶ濡れになりながらうちへ急いでいた史緒里が、ちょうど帰宅中の富美さんと道ですれ違った時、「よかったら、うちで雨宿りしていらっしゃい。小さな図書館もあるから」と声をかけられたのだ。家はほんの5分の距離だったが、小さな図書館が気になった史緒里は、遠慮なく雨宿りさせてもらうことにした。

「尚に会いに来てくれたんでしょう。しーちゃんが描いた肖像画は仏壇においているのよ。見ているとまだそこにいるみたい。会ってあげて」

そういうと、富美さんは母屋へ案内してくれた。はじめて足を踏み入れるエリアに緊張しながら仏間へ向かうと、仏壇脇に生前ショーン先生が好んで座っていた肘掛け椅子がおかれ、その上に肖像画が立てかけてあった。若々しいショーン先生がこちらを向いて笑っている。史緒里の手を離れてもう随分経つその肖像画は、拙い部分はあるものの、ショーン先生の穏やかであたたかい雰囲気をよく捉えていた。今ならもっと上手に描けると思うけど、と心の中でつぶやくと、肖像画のショーン先生が「そうかい?」というように口の端をクイッとあげた気がした。買ってきたコーヒーを供える。

「あら、コーヒー。そういえば、しーちゃんが送ってくれるいろんなお豆の詰め合わせ。あれが届くと、毎朝、尚が目をキラキラさせて、いくつかの種類を自分で混ぜてはオリジナルブレンドだっていって楽しんでいたのよ」

「うん、毎朝、尚ちゃんコーヒーを開店してるっていつかの手紙に書いてあった。ショーン先生、コーヒー本当にお好きでしたね。淹れるのも、飲むのも。この肖像画を描いていたときに、あんたも疲れただろうって母屋に行かれたかと思うと、しばらくしてコーヒー片手に戻ってこられて、ご馳走になったこともありました」

「そうだったわね。コーヒーだけは、自分で淹れたがる人だった」

富美さんは、目を細めて笑った。

お線香をあげて、仏壇の前で富美さんと向き合う。あたりにすっきりとした炭の香りが漂い、テーブルの上には、いつの間にか爽やかな色合いの冷たい緑茶が運ばれていた。

「富美さん、これ」

史緒里は、カバンから革細工のライオンのキーホルダーがついた鍵を取り出し、テーブルの上にそっとおいた。

「しーちゃん、このライオンのたてがみ……」

富美さんの眉毛がグッと引き上げられ、もともと大きな目を更に見開いている。

「ショーン先生の髪の毛に似ているでしょう？　見つけたとき、ショーン先生！　って思って、それからずっとコモンズの鍵につけていたんです」

「本当に似てる。こうしてずっと持っていてくれたのね」

「送っていただいたショーン先生のお手紙に、鍵も昔のままだと書かれていたので、お返ししようと持ってきたんです。ここで過ごせた時間も、ショーン先生や富美さんとのつながりも、本当に私の人生の宝物になっています。小箱の中の『鉱脈』を誰かに手渡すよう託してもらったように、この鍵も、昔の私のようにコモンズを必要とする誰かの手にお渡しする時期なんじゃないかと思って」

そこまで一気にいうと、史緒里は「いただきます」といってグラスを手に取り、ごくごくと飲み干した。

「そう。わかったわ。でも、このキーホルダーはお返ししたほうがいいんじゃない？」

「ううん。そのまま受け取ってください。このキーホルダー、コモンズの守り神みたいでしょう。この鍵とペアになって完璧なんです」

史緒里は、晴れやかな声でいった。

「ねえ、これ見て。しーちゃんミュージアム」

コモンズに戻り、「懐かしい」「変わらない」と何度も声を上げ、しみじみ味わうように辺りを見回す史緒里を、富美さんはそれだけじゃないのよというように奥に手招きして、本棚で埋まっていない壁の一角を指さした。壁に並んだ額には手書きのカードや絵手紙、水彩画やドローイングが入れられ、バランスよく配置されていた。冬に贈った水彩の猫たちも、上品な艶消しの金色の額の中でくつろいでいた。脇の小さな飾り棚を見れば、史緒里が制作した小さなオブジェや、子どもの頃に河原で拾ってアクリル絵の具で描いた猫の置物まである。史緒里は目を見張った。

「すごい……」

それだけいうのが精一杯で、ただただ立ち尽くすばかりだった。涙で視界がぼやけ、すぐに溢れてもう止まらなかった。どれもこれも、日々の制作の試行錯誤の中でよいと思えたものを、成長の証のように送り、その度ショーン先生が寄せてくれるコメントが大きな励みになっていた。そうした長い時間の積み重ねが、小さなミュージアムとして形をなしていたなんて。史緒里は、熱い気持ちで食い入るように見つめ続けていた。そんな史緒里を残して、富美さんは静かにどこかへ消えたかと思うと、

「こんなにグッドタイミングに訪ねてきてくれるなんて、不思議ね」

いいながら戻ってきて、

「これはちょうどしーちゃんが来る直前に、あなたに送ろうと思い立って梱包しようとしていたのよ。本当は小箱と一緒に送ればよかったんだけど、あの時は思いつかなくって」

差し出された富美さんの手には、小学生の頃にショーン先生の誕生日に贈った似顔絵があった。小ぶりの額におさめられたその絵は、大学生の頃、絵に自信を失いかけた時にショーン先生が書斎に飾っていると見せてくれたあの似顔絵だ。あたたかいものが胸を満たし、史緒里のむき身の痛みまで、やわらかく包み込んで保護してくれるようだった。

「ここにある作品と同じように長いことこの場所に飾っていたのだけど、この絵はしーちゃんの原点なんじゃないかって気がしてね。この絵の尚も、しーちゃんのところに行きたがっているんじゃな

いかとも思えて。尚ライオンの代わりに、連れて帰ってくれないかしら」

「連れて帰って遺影にします。流石に若すぎだけど」

涙と鼻水を手の甲で拭いながら、史緒里は顔をくしゃくしゃにしてこたえた。

久しぶりなので、これから海を見下ろす近くの展望台まで行って夕陽を見て帰ろうと思うという史緒里に、富美さんは
「それなら私も一緒に連れて行って。今日は最高の夕陽が見られる気がするから」

というので、二人で車に乗り込み向かうことにした。富美さんとどこかへ出かけるのは、思い返しても初めてのことだった。車窓を眺めながら、カーステレオから流れるピアノ曲に静かに耳をかたむけていた富美さんは、その曲が終わると、

「この曲を作った方も、お亡くなりになったわね。がんだったかしら。死の直前まで仕事をなさったって」

と、しみじみつぶやいた。

「尚も、原稿に目を通したり、方々にメールしたり、呼ばれれば講演までして、忙しく動き回っていたのよ。もともと桝本家は長寿の家系で、大きな病気もなかったから、私はもっとずっと一緒に過ごせるものだと思っていたけれど、思えば九十歳を過ぎた頃から少しずつ準備はしていたのよね。しーちゃんに送ったあの小箱は、十二月にしーちゃんからのプレゼントが届いた翌日に、僕が死んだらこれを送ってくれと頼まれていたのよ。こんなに早くその日が来るとは、あの時は想像もしていなかっ

た。まさか朝起きてこないなんて思わないじゃない」

『極楽浄土へ参りました』って書いてあるのを見ても、信じられなかった。そんな名前の温泉施設にでも出かけていてくれたらいいのにと思うくらい」

「あら、それいいわね。温泉・極楽浄土！　私、行くわ」

富美さんのそんなユーモアも大好きだったと思い出し、史緒里はその日、初めて大きく笑った。


ショーン先生がいる極楽浄土というところには、どんな空が広がっているのだろう。そんなことを富美さんといい合いながら、展望台に降り立ち、海を見下ろすベンチに座った。風が雲を運び、陽はゆっくりと西の空へ傾いていく。いつしか海の色も移ろい、夕日が雲たちを薄紅色に染めていった。史緒里は、ベンチから立ち上がり手すりにもたれて空を仰ぎ見ると、おおきく息を吐いた。雲も、空も、海も、街も、対岸に横たわる山々まで、なにもかもが淡いオレンジからピンク、そして紫色に染まり静かに佇んでいる。

ああ、極楽浄土は、こんな色合いの美しい場所なのだろう。綿菓子のようなふっくらとした雲の上で、菩薩たちはそれぞれに楽器を奏で、今だってショーン先生はその音楽を聴きながらカラッとした笑い声を立てているのかもしれない。富美さんにそう話すと、

「笑い声じゃすまないわよ。楽器演奏があるならきっと歌ってるわ」

と、笑って否定する。

「昔、尚が大学を辞める年に、教え子の方達がホテルで退官記念パーティーを企画してくれたことがあってね。みんなが楽器を持ち寄ってバンド演奏するからって、当日はマイクを握って昭和歌謡を上機嫌で歌うくらいお調子者なところもあったのよ。ホテルの人は、自由すぎるパーティーに呆れていたみたいだけど、いい思い出よ。昔は、神経質で胃潰瘍になっちゃうくらいだったのに、人間、歳を取ると変わるものね。そうそう、それからちょうど会場のホテルに向かう車内で、車の走行距離が8888キロになったのよ。第二の人生のスタートになんて縁起がいいのって思わず写真を撮ったんだったわ。どこかに残っているんじゃないかしら。……意外に覚えているものね」

富美さんの中に、史緒里の知らないショーン先生が、今も生きている。

秋の気配を帯びた風が、背後の山肌から力強い虫の音を運んできて、夜が近いことを知らせた。そうだ。ここは、毎年秋になると山じゅうの木々の枝先にぶらさがった数多の鈴が一斉にふるえるような迫力で虫の音が重なり、一つの音楽となって響いてくるのだった。数え切れないほどの命が奏でる秋のオーケストラを子守唄に、丸くなって眠りについた子ども時代があった。その時、史緒里が聴いた音を奏でた虫たちはとうにいない。それでも、命は命を産み、受け継がれ、この美しい音楽は今も地上の私たちを、そうとは知らずに慰めている。

その夜、天使が訪れた。

横を向いて丸まって眠る史緒里の背中に、栗色の巻毛の天使は耳をくっつけ心地良さそうに目を閉

じていた。天使の気配が史緒里の鼓動と溶け合うほど長い時間を過ごした夜明け前、

「ショーン先生の音楽の響きが聴こえる。君の中にもショーン先生が生きているんだね」

天使はそういうとふわりと舞い上がり、史緒里を見下ろした。それから、くるりと宙返りをしたかと思うと、口の端をきゅっとあげていった。

「あんたもよい人生を！」

リュートの恋

優れた職人の手によって生まれた楽器には、たいてい妖精が宿っているものだ。わたしも、そのうちの一人だ。

わたしの住処であるルネサンスリュートは、ジュンという口数は少ないが優しい手つきの職人が、ひと冬かけて作り出した。響きの良い音を実現するため、十一枚もの細長い板をニカワで張り合わせて形成した丸みを帯びた壁は、限りなく薄い。住処の中心には、ジュンが懸命に彫りだしたレースのように繊細なローズとよばれる飾り窓が据えられている。この窓を通して室内に降り注ぐ美しい模様の光を浴びながら、音作りの仕上げをするのがわたしの役目だ。

このコロンとした住処が音楽を奏でる間、わたしは夢中で踊り、飛び跳ね、軽やかに宙を舞う。わたしの動きと、奏者が弦を弾くことで生まれた振動とが上手い具合に共鳴すると、誰にも真似できない澄んだ響きが生まれるのだ。

音の響きが止むと、わたしは飾り窓から外をそっとのぞき込む。たいていは窓の背後に奏者の気配を感じるだけだが、先ほどまで澄んだ響きが満ちていた空間は、心なしか雨上がりの清らかな空気の気配がある。ほどよく疲れたカラダを脱力させ、ほおづえをつきながらそんな窓の外をのぞく時間は、言葉にはならない充足感に満ちている。

時々は、お客の姿を見つけることもある。

はじめてリュートを見たお客は、しげしげとローズを見つめ、その美しさにうっとりとため息をつくのが常だ。まるで、その内側にいるわたし自身が彼らを魅了しているような気になれる。
けれど、一番のよろこびは、わたしたちの響きを賞賛するお客の声を耳にすることだ。そんなときは、わたしは心から得意になって、その日の疲れも吹き飛んで、アンコールに応え、またいつまでも踊っていられるのだった。

ただ、このところ物足りないのは、奏者が同じ曲ばかりをくり返し練習していることだ。確かに素敵な曲ではある。けれど、毎日、毎日、飽きもせずくり返される演奏は、もう千回を少しばかり超えたところだ。はじめの百回くらいまでは、新鮮な曲にどんな動きで応えようかと、うきうきしながら全身で響きを感じ、毎回違った呼吸と動きを試していたが、三百回にもなるとある程度のパターンができてきた。五百回を過ぎたときには、最適の呼吸が見つかり、その時々の奏者のコンディションをつかんで、この曲に合う一番まろやかな響きを実現する動きができるようになった。千回を超えた今、この曲に関するすべてのことがわたしの無意識の深いところにまで染み渡り、もうこれ以上はないという完璧さでもって澄んだ音色を作りだせるようになった。音楽の神様にだって、きっと、ご満足いただけると思う。

それなのに、ほら、今日もまた響いてくるのは同じ曲。
わたしは、即座に最高の響きを作りながらも、ずっと昔に踊ったたくさんの曲を懐かしく思い出した。正直いうと、もうこの曲はおなかいっぱいなのだった。

けれども、奏者はわたしにとっては神様同様、逆らえない存在。

わたしは、わたしに与えられた使命を果たさなければならない。


うんざりした気分になりかけた、そのとき——

突然、ローズの向こうから、光とともに今まで聴いたことのない音が飛び込んで来た。一定の音量で力強く和音を奏で、わたしたちの響きに重なりあってくる。

生まれたときからカラダに馴染んだ、弾けては消えていく音の連なりとはまったく違う、新鮮な響き。ハーモニカが何本も同時に鳴っているような重厚な音の重なりがメロディーを奏で、馴染みの曲を豊かに装飾してゆく。

まるで別の曲のよう！

わたしはその響きを感じ、わたしの深いところが懐かしさと興奮で、歓喜するのをカラダ中で味わいながら、夢中で踊り続けた。何度もくり返して退屈していたはずの曲が、全く新しい景色となってわたしを包み込み、重なりあう音に共鳴したわたしたちの響きは、正真正銘、音楽の神様にお捧げするのにふさわしい出来だったと確信を持って言える。

夢見心地のセッションが終了したことに気づいたのは、奏者がリュートを手に立ち上がり、わたしがいる空間が大きく揺れ、ローズから差し込む光が長く伸びたときだった。

曲の余韻に浸りながら、いつもの習慣で飾り窓まで行き、外をのぞき込む。ふわりと、甘い花の香りが流れ込んできた。空間はいつも以上に清らかな空気に満ち、活気にあふれて、さまざまな色の光の粒子がキラキラと輝いていた。

その中に、白黒の鍵盤付きの赤い箱を抱えた少年を見つけた。少年はこちらを真っ直ぐに見つめている。

こんなに真っ直ぐな瞳で見つめられたことがないわたしは、頬がバラ色になるのを感じながら、息をひそめ、じっとしている他なかった。

「アコーディオンもなかなかいいでしょ」

少年は輝くような笑顔で言った。それから左手でいくつかの黒いボタンを押しながら箱を横に引っ張ると、リズムと共に蛇腹が現れ、そしてまた元に戻したかと思うと、静かになった。

でも、わたしの胸は、まだドキドキと音を立て、リズムを刻んでいる。

「アコーディオン」

わたしは、愛しい人の名を呼ぶように、そっとつぶやいた。

少年の持つ楽器には、妖精の気配はない。

あの音色に、あのリズムに、あの少年に、一瞬で恋をしたわたしは、自分の分身を別の楽器に宿らせることができるという魔法のことを、ふっと思い出した。一生に一度だけできる魔法だ。古くからの言い伝えでは、頭のてっぺんから生えている一本の髪の毛を使い、蝶の形に結んだものを準備する。そして、その蝶を手のひらにのせ、願いを込めて息を吹きかけ、楽器へと送り出すのだ。

わたしは、一番力強くまっすぐな髪の毛を選び、頭のてっぺんから抜くと、蝶々結びを作り、形を整えた。そして、左の手のひらにそっとおくと、飾り窓の隙間から左手を差し出し、少年のアコーディオンへ向け、祈った。

「どうかどうか、この蝶が、彼のアコーディオンに降り立ち、わたしの分身がそこを住処に、彼と一緒に末永く、音楽の神様にお仕えできますように」

その祈りに反応するように、手のひらの蝶が羽ばたき始めたのを見届けてから、静かに目を閉じると、わたしは、やさしく息を吹きかけた。

虹色の王国

ぼくが生まれた世界。それは、どこまでも真っ白だった。

色といえば、ぼくの羽の青があるきりで、聞こえるのはぼくの声だけ。どんなに仲間を呼んでも、声がかすれるほどないてみても、誰も応えてはくれなかった。幸い、ぼくには強靭な翼が備わっていたから、さみしさをふりはらい、羽を広げ、おそるおそる目の前に続く道の先まで飛んでみることにした。それでわかったのは、その突き当りには広場があるということだった。視界が開けてほっとしたのも束の間、そこにも目立つものは何も見当たらず、ただただ空間が広がっている分、ぼくの孤独は急速にふくらんで、もう弾けそうだった。それでも心を奮い立たせてぐるりと見回ると、ぼくが来たのとは違う側にも道が続いているようだ。その先に行けば、今度こそ誰かがいるんじゃないかと思い、それにかけてみることにした。道は広場に来たときと同じ幅で同じくらい続いたが、なぜだか、ぼくが元いた場所に戻ってしまった。なぜ同じ場所だとわかったかって？　だって、ぼくがつけた足跡が二つ、そこに残っていたからさ。その足跡を発見したとき、仲間が近くにいると思って、思わず歌いだし飛び跳ねたのがバカみたいだったよ。だってそれは、飛び跳ねたときについたぼくの足跡と全くおなじ形で、誰もさえずり返してくれることはなかったんだから。世界は、足跡とそれを残したぼくだけだと、そのとき悟ったってわけ。

広大な白い世界に、ぼく一羽。

ぼくはその孤独にいても立ってもいられなくて、またビューンとUターンして、広場に出た。広場の隅々まで飛び回ったが、やはり何も見つけることはできなかった。それで、その先の道を進んだものの、あるのは先ほどの足跡と、もう一つの足跡だけ。ぼくがそのすぐ近くに降り立つと、逆方向を向いた三つ目の足跡がついた。ぼくがどっちへ行っても、いつの間にか同じ場所に戻ってしまい、どこにも行けないんだ！　何がなんだかわからずに混乱したぼくは、とにかく何かを見つけるまでは飛び続けようとだけ決め、再度飛び立った。仲間の鳥はいなくとも、ありの一匹くらいなら見つかるかもしれない。とにかく必死だったんだ。けれど、何の収穫もなく、何周したかもわからなくなったころ、ぼくはついに力つきた。くたくたに疲れ切っていて、腹と羽でべったり着地したので、もう足跡もつかなかった。今にも地面の底が抜けて、何もない空間に吸い込まれていくような感覚に全身が飲み込まれた恐ろしい瞬間を、よく覚えている。止めようとしても全身ががたがたと震えだして、ぼくはもうこの白に飲み込まれ、やがて一枚の羽も残さず、消えてしまうんだと、恐怖におののいていた。

そのとき、ふいにぼくの青い羽をそっとなでる、あたたかな感触に包まれたんだ。ぼくを世界に引き止めてくれたあの豊穣でふくよかな気配をどう伝えたら、きみにわかってもらえるだろう。とにかく、消えかかったろうそくの火をあたらしいキャンドルに移すように、途方に暮れるぼくの存在を力強くつなぎ止めてくれたってことは言っておくよ。

おだやかなやさしい声が降ってきたのは、そのあたたかさと安心感にすっかり包まれて全身がゆるみ、震えもようやくおさまってきたころだった。

「ブルーポー。どうか、しゅんのこと、いつも見守ってあげてね」

声の方を見上げると、丸くて茶色い瞳の女の人が穏やかにこちらを見つめ、その親指でそっとぼくをなでているのだった。植物や色鮮やかな鳥をあしらったふんわりとした生地のワンピースを着ていて、肩には艶のある黒髪がさらさらとかかっていた。よく見ると中指にはくすんだ金色の帽子をかぶせている。見上げた世界から色の洪水がどっと押し寄せてくるようで、目をぱちくりさせていたら、

「しゅん、この子はブルーポー。しゅんの守り鳥よ。よろしくね」

女の人はそう言って、ぼくを白い世界ごと、傍らに立っている男の子の肩にそっと着地させた。乗り心地は悪くない。足元はしっかりとした弾力があり、ほんのりあたたかいし、なによりひとりぼっちじゃないのがいい。しゅんと呼ばれたその子は、物珍しそうにぼくの立っている白い道を引っ張って、ぼくを目の高さに引き上げた。しゅんのこれまた丸くて茶色い目とぼくの目が、近くでばっちり合う。女の人の瞳とよく似ているなと思っていると、しゅんはその丸い目を更に大きく見開き、

「ブルーポー」

と、よろこびを含んだ声で、小さくぼくの名を呼んだ。それから、白い歯を見せてにっこり笑ったかと思うと、

「ママ、ありがと!」

と、張りのある声を部屋に響かせた。

その日から、ぼくの名前はブルーポー。しゅんの守り鳥。

しゅんは、さらさらの茶色がかった髪をした、ちょっと臆病で慎重な男の子だ。ゆっくり時間をか

けてその場を観察し、安全を確認し、心に勇気がたまるのを待ってからようやく動き出す。だから、守り鳥といっても、危険を察知して警告したり、緊急事態にハラハラしたりすることもなく、毎日おだやかに過ぎていった。しゅんの瞳は、いつも色のある世界で美しい大発見を重ね、その度に輝きを放っている。出かけるときには必ずぼくを連れて行ってくれるので、いつもその大発見を一番そばで見ることができる。チューリップの芽が土から顔を出したところ、とかげが石の上で身体をあたためている姿、スズメバチの亡がらを確保したアリの大行列……しゅんとの散歩の時間は、外の世界の色の洪水の中では見過ごしてしまいそうな小さな事件を、ぼくに教えてくれるのだった。

「わあ、芽が出てきてる！ チューリップだね」

「とかげだ。まだ小さい。生まれたてなのかな」

「こんな大きなスズメバチも死んだら食べられちゃうんだね」

いちいち声を上げて、その存在を知らせるしゅんに、ぼくは、

「ほんとだね」

とか、

「かわいいね」

とか、

「ぼくも知らなかったな」

などと言いながら、お供するのが日課だ。

外出のときに必ず通る玄関脇には、全身が映る大きな鏡が据えられている。はじめ、ぼくはそれには見向きもしていなかった。だって、ドアの向こうには見るたびに違う色の空や、風に形を変える雲が広がっていて、いつも目を奪われてしまうのだ。だけどある日、しゅんは気まぐれに鏡の前に立った。細長い楕円形の鏡の中に、もう一人のしゅんを発見したときは、息が止まるほど驚いたよ。しゅんが帽子をかぶり直すと、もう一人も全く同時に同じ動きをする。そこに映っていたのは、見慣れたしゅんの姿と、肩からななめにかけてある白いかばんだった。しゅんの肩にちょうど乗る位置に、目に馴染んだ青色をした小さな鳥もいた。

ぼくだけの白い世界。それが一体どんな形をしているのかを、ぼくはそのとき知ったんだ。それで、最初にひとっ飛びしたときに見つけた広場は、たっぷりとふくらんだかばんの袋とふたの部分で、白い道だと思っていたのは肩にかける長いひもだとわかった。かばんの肩ひものちょうどまん中が、ぼくの定位置だったってわけ。どうりでグルグル飛んでも、同じ場所に戻ってくるはずだよ。知らないって、ムダに不安をかき立てるものなんだな。こんな小さな世界で、足元がすくわれるような孤独を感じていたなんて、今思えばちょっぴり笑える。ほんの少し視線をあげるだけで、全く違う世界が存在しているなんて、あのときは想像もつかなくてうろたえてしまったのがはずかしい。あの日のぼくが、羽に触れるママの指の感触を感じ、頭上から降ってくるやさしい声を聴ける耳を持っていて、本当によかったよ。

かばんは、ポケット図鑑、虫メガネ、メモ帳に鉛筆、小さなタオルや非常食のキャラメルなんかを抱えていて、しゅんと一緒だといつも何かしらにぎやかな音を立てている。おまけにしゅんは、あちらこちらで見つけた宝物を、かばんに仕舞い込むものだから、いつも身近に新しい出会いがあった。たんぽぽの綿毛は、最初はふんわり優雅な丸い形を保っていたのに、かばんの中で揺れている間に、二百個くらいの小さな落下傘になってしまった。そのうちのいくつかは、かばんのフタをあけた途端に外に飛び出して、あっという間にかすかな風に乗って旅立ってしまったっけ。今頃は、きっとどこかで小さな葉を広げているはずだ。

梅の木の下で拾った丸くて黄色い実は、ほのかな甘い香りでかばんの中を満たしていたし、小高い丘の公園では、北の国の人たちが好んでかぶるようなもじゃもじゃの帽子の大きなどんぐりをいくつも拾って、彼らと仲良く帰ってきた。

「一緒に帰るかい？」

と、しゅんがそっとかばんにすべりこませたナナホシテントウは、しばらくかばんの内側をはい回ったあとに、すき間からうまく逃げ出し、飛び去っていった。帰り着いてかばんをのぞきこみ、てんとう虫の不在に気づいたしゅんは、がっかりして目に涙を浮かべていたけれど、ぼくが、

「大丈夫。きっとまたどこかで会えるよ」

と、耳元でささやいたら、しゅんはぐっと口を結んで、袖で顔をグイと拭い、無言で家に入っていった。それから、ママがおやつに用意してくれたプリンを、静かに食べていたっけ。しゅんの落胆は気

の毒だったけれど、バニラの香りのしあわせがひとすくいごとにしゅんを満たしていったのが、その表情からわかった。ぼくはそんなしゅんを見ながら、てんとう虫の素晴らしい飛翔を思い出していた。ぼくもあんな風にさりげなく、あたりまえに、色のついた世界に飛び立って行けたらと、切なくもうらやましかった。

散歩のたび、あたたかな外の日差しにさらされると、ぼくの白い世界はますます白く、明るく輝く。その明るさの中で観察を重ねていると、しゅんが暮らす世界の地図が、頭の中に次々出来上がっていくようで、気分はさながら探検隊だ。だけどその開放的な気分と同時に、いつもつきまとう気持ちがあった。それは、窓の広い清潔だが頑丈な独房に閉じ込められているようなもどかしさだ。力強くふりそそぐ太陽光は、いつもぼくの世界の空白を際立たせる。くり返される日々に、だんだんと確信したのは、たとえぼくとしゅんが仲良く過ごしていたとしても、ぼくのいるこの世界と、しゅんがいる世界は混じり合わないということだった。ぼくがどれほど外の知識を仕入れようと、それは決して変わらず、白い世界の中には相変わらず、いつまでもぼく一羽きりなのだった。

そんなぼくの暮らしに革命を起こしてくれる英雄が、ある朝、姿を現した。

それはそれは小さなかわいい子どもたち、総勢３１５匹。かばんの中にうにょうにょと時間をかけて現れた彼らは、黒いつぶらな瞳、薄緑色の身体、小さいがしなやかなカマを両手に持つカマキリの子どもたちだ。しばらくはその場にとどまりうごめいていたので、人目に触れることもなかったが、時間の経過と共に手足がしっかりしてくると、かばんのすき間から外にはい出てくる好奇心旺盛な子も現れ、やがてかばんの周辺のあちらこちらにもその姿を認めるようになった。かばんの肩ひもを登りきって、ぼくの頭上にたどり着いたのは、メアリーだった。彼女は、それはうれしそうに
「あら、こんにちは。ワタシ、メアリーよ。こんなところで誰かに会えるなんて!」

と、歌うように声を上げた。

「メアリー、ぼくはブルーポー。まさかぼくに挨拶してくれる誰かさんがいるとは、思ってもいなかったよ。ご機嫌いかが」

内心、ドキドキしながらぼくが聞くと、

「下にはきょうだいたちがたくさんいるんだけど、ワタシ、にぎやかなのは好きになれなくて。静かな場所を探していたら、白い道を見つけて歩いてきたの」

メアリーは後ろをふりかえりながら言い、それから、ぼくに向きあうと
「ブルーポーは、ご機嫌いかが」

と、小首をかしげ上品にたずねた。

思えばこれまで、しゅん以外の誰とも名前を呼び合う関係になったことはなかった。ぼくは、うれしさに高鳴る鼓動を感じながら、

「最高だよ。今の今まで、ぼくの名前を呼んでくれるのは、このかばんの持ち主のしゅんとママだけだったからね」

と答えた。それから、ぼくは何気なくメアリーに聞いた。

「生まれたての気分はどう？」

すると思いがけず、ぼくの全身に戦慄が走った。ぼくが生まれたときに感じた、圧倒的孤独と混乱が一瞬で蘇ってきたのだ。力の限界まで飛び回ったあの日の恐怖は、身体のどこかにきっちりと冷凍保存されていたみたいだ。もう一人じゃない、大丈夫さ。心の中でそう自分に言い聞かせても、一度速くなった鼓動はなかなかおさまらないのだった。メアリーは、そんなぼくの内心など気づかないまま、軽やかな口調で、

「まずまずってとこかしら。あふれるほどきょうだいがいて、ちょっとびっくりしたし、疲れちゃったけど。ワタシにはワタシのためのスペースが必要だと感じて、ここまでやってきたのは大正解ね。新しいお友だちに出会えたのは幸運だった。最高の誕生プレゼントよ。もちろんブルーポー、あなたのことよ」

と言うのだった。その言葉を最後まで聞いたとき、恐怖は遠ざかり、ぼくの胸はまた高鳴った。今日は心臓が忙しいや。誰かときちんと会話するたび、こんなにどきんどきんしていたら、早死にしちゃうんじゃないかと心配になるくらいだ。それでも、心は今までにないほど明るく澄んでいた。

「きみは、どこから入ってきたの？」

掃除にとりかかっていたママの不思議そうな声が、突然リビングに響いた。メアリーもぼくも、声

の方を見る。すると、メアリーのきょうだいの一匹が、ママの掌にのせられ外に運ばれようとしていた。ママは家の中に迷い込んだハエでも、なるべく外に逃がそうとする人なので、あの子もきっと大丈夫だろう。そう伝えると、メアリーは一瞬硬くなった表情を和らげた。きょうだいと共ににぎやかに誕生できるなんて、ぼくの孤独とは無縁だろうなと、うらやましく思っていたけれど、メアリーの話を聞き、そのときの顔を見ていると、きょうだいが多いゆえの気苦労や心配があることがわかった。

やがて、空っぽの掌で帰ってきたママが掃除機を手にしたときに、別のきょうだいを見つけたらしい。そして、もう一匹、更にもう一匹……。そのあたりで、何か理由があるとピンときたらしいママは、真っ直ぐぼくらがいるかばんに目を向け、掃除機を床においた。壁のフックにぶら下げてあるかばんには、すでにメアリー以外のきょうだいたちが何匹もはい出して探索している。ママは近づいて、そーっとぶら下がったままのかばんのフタをつまみ上げ、中をのぞいた。そこには更にたくさんの子カマキリたち！　ママはさすがにびっくりして固まっていたけれど、静かにフタを閉めしゅんを呼ぶと、子カマキリたちを庭に放してあげるように頼んだ。しゅんはというと、思いがけないカマキリの誕生に、無邪気に大喜びしていた。

「そういえば、この前カマキリの卵を見つけたんだったよ。わあ、みんな小さいな〜」

と言いながら、その場に座り込んでかばんのフタを開けようとするので、

「ここでは開けないで！　お家の中にはカマキリくんのエサは見つからないから、行方不明になったら大変。お庭でかばんの中の子たちを逃がしてあげてね」

と、ママは慌てて止めなければならなかった。それで、しゅんは仕方がないという様子で立ち上がり、かばんをフックからはずそうと手を伸ばして、メアリーとぼくにようやく気づいた。

「ブルーポー、もうお友だちになったの」

いつもの大発見したときのように目を見開いてそう言い、しゅんは、メアリーが落ちてしまわないように優しく持ち上げて、たくさんのきょうだいたちと共に、慎重に庭に出た。別れのときが近いことは、メアリーもぼくも、十分承知していた。友だちと別れるのは辛い。でも、メアリーはメアリーの人生をはじめなければならない。ぼくは、この白いかばんにとらわれているのだという現実を、嫌というほど感じていた。いつかのてんとう虫みたいに、軽やかに飛んで行けたらどんなに嬉しいだろう。でも、それは叶わぬ夢なのだ。

しゅんは、玄関から出るとすぐに勢いよくフタを開け、中をのぞき込んだ。あたたかなお日様の光がさーっとかばんの底まで差し込み、隅々まで照らす。その光に驚いた子カマキリたちは、一斉に安全な場所を求めて動きはじめた。

「うわあ！きみたち、何人きょうだいなんだ。元気にたくさん生まれたんだね」

しゅんは、本当にうれしそうに声をかけ、それから、あたりを見回した。庭の一角にめぼしい草むらを見つけたしゅんは、かばんのフタを大きく広げて、そっと地面の上においた。周りには、カラスノエンドウやオオイヌノフグリが茂っている。きっとエサになるアブラムシもたくさんいるはずだ。

空腹だったきょうだいたちは、我先にと草むらに飛び出し、

「わーい、外だ～」

「ちょっと、踏まないでよ」

「押すな、押すな」

「おなかすいた～」

「ここどこ？」

なんて声が、あらゆる方向へと広がってゆく。のんびり屋のきょうだいたちは、まだおっとりとかばんの周りを行き来している。そんな子カマキリたちを、しゅんは地面に張りつくようにじっと眺めたり、近くにいる子に手を伸ばしてハイタッチしたり、掌の上に招待したりしている。

その間も、メアリーとぼくは、離れがたく、まだ一緒にいた。

「あの子がしゅんね」

メアリーが言った。

「そう。ぼくは、彼の守り鳥なんだ。だから、ずっとここにいて、しゅんを見守るのが仕事」

ぼくは、自分自身に言い聞かせるように言った。声は素っ気なく響いたが、涙にうるんだ声よりマシだった。

「……メアリー、君のこと、ぼく、一生忘れないよ」

今度は少し、湿っぽい声になった。

「うん。ワタシも忘れない、ブルーポー。ワタシのはじめてのお友だち」

メアリーはそう言ってからも、動こうとしない。ぼくらは、ただじっと光を全身に浴びながら、互いの気配を記憶に刻み込むように寄り添っていた。どんなに日にさらされ、かばんの白さが際立っても、もうぼくは白い世界に一人取り残されているとは感じなかった。でも、もうぼくらは、すぐに別れなければならない。


お日様は真上から西にいくぶん傾き、とうとうかばんに残っている子カマキリはメアリーだけになった。しゅんは、庭に出たときと同じようにブルーポーのそばに寄り添っているメアリーを見つけると、

「そんなに仲良しなんだね」

と声をかけた。メアリーは、しゅんを真っ直ぐ見上げ、ゆっくりと首を縦に動かした。

「お庭でたくさんご飯を食べて、大きくなってまた会いに来てね」

しゅんが言った。ぼくも心からそう願った。メアリーは、また同じようにうなずいた。

そのとき、ママが手にビンを持って玄関から出て来た。室内に取り残されていた数匹の子カマキリがビンの中で、なんとか外の世界に出ようと格闘していた。

「しゅん、この子たちもお庭に旅立ちよ！」

ママはそう言って、ビンをしゅんに手渡した。受け取ったしゅんは、茂みのそばにかがみ込むと、そのビンをそっと横向きにしながら、

「行方不明にならなくてよかったね。元気でね」

と、ママと一緒に彼らの旅立ちを見守った。そして、最後の一匹が地面に着地したのを見届けると、しゅんは思い出したように、ママを見上げて言った。

「あのね、ママ、ブルーポーに友だちができたんだよ！　ほら‼」

地面に広げられたままのかばんを指差す。メアリーはまだそこに留まっていた。

「本当だ。この子、ずっとブルーポーのそばにいるの？」

ママは、目を丸くしている。

「仲良しすぎて、離れたくないみたいなんだ。でも、この子、ずっとここにいたら、大きくなれないでしょ。どうしたらいいと思う？」

しゅんがママにたずねると、ママはしばらく黙って考えてから、小さくニッコリ笑った。そして、こう言ったんだ。

「この子が、この場所にずっといられるように、刺繍するのってどう思う？　もともとブルーポーもママが刺繍したし、その隣にこの子と同じサイズのカマキリを刺してあげられると思うの」

「すぐできる？　今ここで」

しゅんが言うと、

「わかった。裁縫道具を持ってくるから、きみたちみんなで待っていてね」

そう言い残して、ママは家の中に戻っていった。


なんて素敵なアイディア。なんて素晴らしい思いつき！ということは、ぼくの白い世界にメアリーが生まれるってことだ。メアリーもそれを聞いて、バンザイと両手のカマを大きく広げた。

「ワタシ、あなたの隣に生まれるワタシにも、大きくなってきっと会いに来るわ。どれだけ大きくなれたか、その子と並んだらびっくりしちゃうかもね」

メアリーは希望に輝く瞳で言った。

ママは小さな箱とメアリー色のつやつやした糸を持ってくると、

「ちょっと失礼。この上でモデルになってちょうだいね」

と、ママが座ったレンガの近くにあるカモミールのやわらかな葉の上に、メアリーをそっとのせた。

メアリーは澄ましてポーズをとっている。ママの目は真剣そのもので、目の前の子カマキリをつぶさに観察している。そうしてしばらくのちに、ぼくの目の前にメアリーの分身が現れた。

「さあ、どうかしら。気に入ってくれるといいけど」

ママは、糸の端をハサミで切ると、葉の上でじっと待っていたメアリーを、できたばかりの刺繍の上に着地させた。まるで鏡に映ったみたいに瓜二つのその姿に、ぼくは呆然と見とれていた。メアリーもメアリーで、足元にいる自分の姿を満足そうに見下ろしている。彼女は、ぼくの隣の刺繍のメアリーを両手のカマを広げて抱きしめ、その両頬に交互に頬を寄せるとちゅっちゅっと音を立てた。それから、ぼくに片方のカマをのばすと、耳元でこうささやいた。

「これでいつまでもあなたのそばね。わたし、きっと大きくなって戻ってくるけど、驚かないでよ。じゃあ、そろそろ行くわ、ブルーポー。また会いましょう」

そう言うと、メアリーはもうふりかえらずに茂みの中にぐんぐん進み、やがて見えなくなった。

ぼくの世界に革命を起こした、英雄メアリーとそのきょうだいたち。ぼくは彼らの成長と幸運を心から祈った。

ぼくの白い世界に、はじめて、ぼく以外の誰かがいる。それが、他でもないメアリーだなんて、信じられる?

ぼくが、目の前のメアリーと視線を交わし、にっこりと微笑み合っていると、ママとしゅんの会話が聞こえてきた。

「ねえ、しゅん。ママ、いいことを思いついたかも」

「なに?」

「ブルーポー、お友だちと一緒で嬉しそうじゃない」

「うん」

「それでね、しゅんが出会った素敵なものを、帰って来たときに、ママに教えてほしいの。それを、このかばんのどこかにどんどん刺繍していくのはどうかな？　そしたら、ブルーポーとカマキリのお友だちもさみしくないし、それに、しゅんが時々持って帰ってくる素敵なものが、かばんに取り残されて、今回みたいになるのも防げるしね！」

「だったらママ、てんとう虫を作って！　いつの間にかいなくなってたんだ。それから、この間見た虹でしょ。あと……」

しゅんは思いつくまま、素敵なものを次々にあげていく。かつて一緒に見たそれらすべてが、このかばんに姿を現し、豊かな色合いに満たされて生き生きと動き出すのを想像して、ぼくの胸はまた忙しくなった。このかばんの空白に、ママの手で艶のある美しい刺繍糸が踊り、みな、なにものかになっていく。

「にぎやかになりそうね」

これから同じ世界で生きていくメアリーが、今はまだ白い道を見やりながら言った。

ぼくを閉じ込めていた白い世界は、こうして大革命によって終わりを迎え、今日からは、色のある美しい思い出の王国が築かれていくのだ。国王は、もちろんしゅんさ。そして、ぼくは国王の守り鳥。とっても名誉な仕事だろ。

The Moonlight café

隕石によって地球から突然引きはがされ、微小なかけらとなり、それでも地球から離れがたく漂ううちに、月とよばれる形になって久しい。当時の地球は赤々と燃え盛り、わたしもしばらくはその熱を帯びていた。地球には戻れないと薄々感じてはいたが、それでも、今よりずっと地球のそばの位置をキープしていた。悠久のときが過ぎるうち、その熱は冷め、海と大気におおわれてゆく地球の姿をすぐそこに見やりながら、わたしは地球の周りをグルグルと回り続けている。徐々に、だが確実に地球から離れていることに気づいてからは、なす術もなく一種の絶望を感じながら、わたしはもう長いこと地球の夜を照らす役割を担わされている。

太陽の光に照らされた地球は、実に美しい。海の青、思い思いに形を変えてゆく白い雲、褐色の大地や木々の緑、氷に閉ざされた純白の世界……。大気のダイナミックな動きの下には、菌類や草花、木々、その間を行き交う昆虫や鳥たち、大小さまざまな姿の動物たちが息づいているのが見える。地球上では、わたしの姿が現れることを月の出とよぶらしいが、太陽の力強い光を浴びて宇宙空間に浮かび上がる堂々たる地球の出は、わたしのセンチメンタルなホームシック感情を差し引いても、奇跡としか言いようのない瞬間だ。それを見る度、わたしは、わたしの不在を知ることもなく続く地上のにぎやかな営みに、嫉妬と強烈な羨望を感じ、地球の朝から昼、そして夜へと動きつづける。

二本足で歩く猿が衣を身に着け、火を使いこなすようになったのは、つい最近のことだ。人間の祖先たちが灯す火はごくごく少なく、闇夜を心細く揺らしていた。そのころには、わたしが顔を出すとどんなわずかな光であっても、人間たちはほっとした顔でわたしを見上げていたものだ。まるで迷子の子どもが母と再会したような彼らの表情は、わたしの絶望をどんなに慰めてくれただろう。夜は静けさに満ち、地上の闇は今よりずっと深かった。

やがてそれほど時間をおかず、人間たちは松明やランタンで夜を照らすことを覚えた。火を持ち運べるようになったことで、朝日が届くまでじっと身を潜めておく必要がなくなった人間たちは、夜行性の動物のように活動的になり、戦ったり、やがて恋人のところへ通ったりするものも出てきた。それでも火で照らせる範囲はわずかだったため、わたしはまだ重宝されていた。恋人の訪れのないさみしさを、わたしの姿を一晩中ながめることでやり過ごすものたちもいたが、同じ地上に暮らせているのだ。何をなげくことがあろう。わたしなどは、どんなに恋い焦がれても、同じ地平にすらもう二度と身を置けないのだ。燃え盛るかつての地球から分離されたこのわたしは、このまま時の流れとともに地球から遠ざかり続ける運命なのだから。そうはいっても、恋人との逢瀬の記憶を懐かしむ物思いの表情は、わたしだけが知りうる甘美な瞬間なのだった。

さて、それから器用な人間たちが電気を使うようになると、夜の景色は劇的に変わり、今も刻々と移ろい続けている。わたしが光を照らすことが出来ない新月の日であっても、人間が生息している場所は、決まって明かりが灯るのだ。かつての地球の夜は、大地と海のさかえ目も闇に沈み、曖昧であった。それがくっきりと人工的な光に縁取られ、一晩中輝きつづける。少しばかり前は、それらの光は地上にはりついていたが、発光しながら動く自動車や列車、船や飛行機が開発されてからは、忙しなく行き交う光の数は増える一方だ。

その輝きが地上を覆い尽くすにつれ、人間の数はますます多くなり、わたしに注意を払う人間はますます少なくなっていった。わたしが照らす光は、最大でも太陽光の46万５０００分の1でしかないから無理もない。けれども、眠ることすら忘れ活動し続ける人間たちの目が、電灯に照らされた人工物にだけ注がれるにしたがい、本来の輝きを失い、宇宙《そら》を捉えないうつろなものになってゆくのが気がかりだ。ただ、望遠鏡を使ってわたしや遠くの星々を学術的関心から熱心に観察する人間も、わずかながら存在している。一晩のうちにわたしの姿が欠けてゆく月食の夜などには、その類いの人間は、皆こぞって望遠鏡をのぞき、カメラを構える。けれども彼らは、かつて生きた人間たちのように、安堵の表情でわたしを見上げることも、懐かしく物思いに耽る様子もない。数々の地上の美とも無縁だ。準備万端でわたしに向けられる目は、まるでハンターのようで、少々煩わしく落ち着かない。おまけに、大気の流れによって彼らとの間に分厚い雲がかかろうものなら、その向こうでシャッターチャンスを逃すのではないかとジリジリとイラついている気配が高まるのだった。

自然を相手にしている謙虚さなどみじんもない、なんとも殺伐とした人間たちの気配が、昼夜の区別なく地球を覆い、じわじわと痛めつけている。

あれは、いつからだったろう。

わたしが照らし返す太陽の光がひときわ強く地球上に降り注ぐその夜に、大きな荷物を背負い現れては、カメラを構える彼を見かけるようになったのは。それはいつも、地上で「満月」とよばれる日の、人があまり寄りつかないような場所だった。その様子はあまりに周囲に溶け込んでいたので、もう少しで見逃してしまうところだった。

はじめて気づいたのは、ヒマラヤのアンナプルナのあたりを、いつものように弧を描きながら、山々を照らしていたときだった。切り立った峰の雪の白さから少し離れた場所に、身じろぎもせず、カメラをのぞき込んでいるまだ年若い彼が、まっすぐに伸びる若木のように直立していた。カメラは、彼の目の前に堂々と枝を広げるシャクナゲの花々に向けられていた。大抵、夜にカメラを構える人間は、ハンターの目でわたしに狙いを定める。だが、彼は違っていた。わたしが照らしている花々の、その一つ一つの花弁が放つ輝きを慈しむように、静かに時間をかけてシャッターを切っていた。それは、今は忘れ去られたかつての闇が深かったころの地上の美を、今に見出し記録する、神聖な儀式のように思えた。

次に見かけたのは、ハワイ諸島を下に見ながらキラウエア火山から海へと流れ出すマグマの力強い赤を照らしていたとき。わたしが地球と別れたあの時代の熱を思い、激しい喪失の余韻を遠い思い出としてながめている間、彼は、刻々と変わりゆく大地の様相を静かに見つめ、撮影場所を定めるため三脚を抱え右へ左へと移動しながら、一心にマグマをカメラで追っていた。その日の彼も、神聖な空気を身にまとい、荒々しく動く熱い空気の中にあっても揺らがない、清涼な気配を放っていた。

その後も、オーストラリア、アフリカ、アルゼンチン、ボリビア、マダガスカル、屋久島……地球上のあちらこちらで、彼の姿を見かけた。サバンナにたたずむキリンの親子、イグアスの滝に架かる夜の虹、ウユニ塩湖の塩の大地、マダガスカルのバオバブの木々……。彼が宇宙の青に浮かび上がるあらゆる存在の輝きを写し取ろうとしているのは、すぐにわかった。そして、そのための唯一の光源がわたしであることも。わたしの光だけを頼りに写した彼の数々の作品は、都会では忘れかけられているわたしの存在を人間たちに思い出させてくれるに違いない。

月に一度のシャッターチャンスを、彼は淡々と待っている。だから、満月の直前に下見に訪れる彼の姿を見かけると、今回もしっかりと照らしてやろうと、密かに一方的な約束をするのがわたしの習慣となっていった。それでも、彼とわたしの間に雲がたれ込め、光を遮ることはよくある。それだけ行き逢えば当然だろう。そんなときの彼の佇まいも、実に好ましかった。時に倒木に腰掛け、時に天を仰ぎ、風に祈るのだ。どんなときも、彼からは、一切のいら立ちや焦燥の気配は立ち上ってはこなかった。

夜を徹して地上の輝きを記録しようとする彼の視線は、わたしがこれまで幾度となく眺め、見守ってきた地上のあらゆる存在たちへの慈愛に満ちていた。

彼の姿を見ていると、彼こそを被写体に、その内なる美しさを記録できたらと願わずにはいられない。だが、残念ながら、わたしにはその手段も才能もない。だから、わたしの光に浮かび上がる彼のまっすぐな瞳と俊敏な身のこなしを、わたしは少しも見逃すことなく記憶にとどめることに決めた。やがて地球から更に離れてしまったそのときに、彼との限りある邂逅の記憶は、わたし自身の心を明るく照らしてくれるだろう。

わたしにそう思わせるほど、彼の存在は満月を重ねる度に大きくなっていくのだった。


わたしには、光を照らす他に、一体なにができるだろう。


ある日の夜半過ぎ、彼の水筒が空っぽになったことがあった。南の島でのその夜は、空は高く晴れ渡っていたが、風はなく、湿度も気温も高いままだった。

「弱ったなぁ」

めずらしくそんな言葉をもらしながら、額の汗を拭う彼は、確かにいつもと違い、三脚を持ち上げるのも重そうにしている。そのとき、ふっと、あるひらめきが訪れた。

ちょうど今しがた、木から離れたヤシの実がひとつ、砂浜に横たわっていることにわたしは気づいていた。別のヤシの木々と空の星たちにカメラを向けている彼の視界には、まだ入っていないようだったが、喉を潤わすにはちょうどよいだろう。

「彼の助けになってくれるかい?」

わたしが、その実に問いかけると、実は、

「お好きなように」

と、かすかに答えた。

高らかに歌い上げる虫たちの声は、途切れることなく続いている。わたしはチャンスを待った。やがて、やっと彼がカメラから目を離し、あたりを見渡した。その刹那、わたしはすかさず体の角度を傾けながら、砂の上の木の実がつややかな輝きを放ち、彼の目に留まることを願った。

「ここだよ」

虫たちが奏でる音楽が、一瞬、止んだ気がした。

彼は、息を吸ったと思うと、そのまま数秒動きを止めた。それから今度は、口元をほころばせながら息を吐き、その実を手に取った。

わたしの声にならない声が、彼に届くことを直感した、はじめての夜だった。


それからというもの、わたしは彼の撮影中、なにがしかの差し入れになりそうなものを見つけては、光で、そして、一種のテレパシーを使って彼に知らせるようになった。彼は、他の人間にはない非常に性能の良いアンテナでも持っているようで、いつもわたしの知らせを逃さず、受け取ってくれるのだ。かすかに音を立てて岩場を流れる清流、野山に自生するアケビの実や木いちご、原生林にこんこんと湧き出る炭酸水、島に一つだけの自動販売機のホットコーヒー……。彼は、それらでほっと一息つくと、またすぐに静謐な儀式に戻ってゆく。それはまるで、地上の小さな神様に捧げ物をしているようだった。

いつまでもこんな風に、満月の夜を彼と過ごしていけたら、どんなに素晴らしいだろう。


けれども、人間はあっという間に年を取る。彼も例外ではない。はじめて出会った頃のまっすぐな瞳は、今も同じ輝きを放ってはいるが、髪も髭も白くなり、飛行機に乗って遠出することも、最近では少なくなった。それでも、満月の夜には、海と山を見渡せる彼の住まいからほど近い場所に出向いては、地球の美しさを記録している。

彼の世界は、いまや完璧と言っていいほどの完成度を示している。彼の作品に囲まれるだけで、人間は、太古の星々の息吹を感じ、地球とわたしとの間に流れるゆるやかなリズムに乗り、地上で共に暮らす小さきものたちへの思いやりを取り戻すだろう。天球の音楽さえ聞こえだすのではないかと思われる彼の写真には、それだけの力が宿っていることを、彼は知っているだろうか。もし自覚していないのならば、なんとしても知らせなければならない。

次の満月の夜、わたしは手紙を送ってみようと決めた。

彼ならば、わたしのメッセージを受け取れないはずがない。

きみを信じて、はじめて手紙を書くよ。

「わたしの友人、そして小さな神様でもあるきみへ
きみと満月の夜をともに過ごすようになって、三十年は過ぎただろうか。

わたしの存在などすっかり忘れ去っているような人間が増え続ける地球上で、わたしの営みに関心を持ち、満月の夜ごと姿を現すきみは、わたしにとって、今や友人以上の存在だ。きみは、わたしの光の中でいつも凛とした静けさをまとっていて、その姿こそ写真に残したいと何度思ったことだろう。

地上の美を写し取る、神聖な儀式を執り行うきみは、神官のようだと感じたこともあった。

でも、ほんの少し前に、きみの中の小さな神様が目を覚ましたことに気づいた。ほら、その証拠に、最近のきみの作品は、これまで以上に輝きを放っているだろう? きみが記録し続けている月光の世界は、大きな力を宿し、ほとんど完成している。

電気を手に入れ、夜に昼間の明るさを再現できるようになった人間は、昼も夜も何かに夢中になっている。だが、その割に、彼らの表情はうつろだったり、険しかったりする。地球の営みすらコントロールできると勘違いしている、不機嫌な人間たち。

きみの作品は、彼らに、宇宙《ほし》のリズムを思い出させてくれるだろう。地上の早く進みすぎる時間を、ゆるやかにもできるだろう。そして、きみとわたしのように、互いの役割を担ってあらゆる存在の美を見出す種を蒔き、いつか芽吹かせてもくれるだろう。きみの写真には、それだけの力が備わっているんだと、どうかはっきりと知っていてほしい。

それから、これはわたしの勝手な思いつきだから、聞き流してくれてもかまわない。だが、伝えよ

うともせずに飲み込むには、惜しい気がするんだ。

人間が多く住む街には、きみがよく知る本当の月光は、もう届かない。けれど、もし、きみの作品で満たされた薄暗い空間で、人間たちが一時間でも時を過ごしたら、彼らの心は、宇宙の響きに調律され、その瞳には輝きが戻るだろう。きみとわたしが過ごした数々の満月の夜を、光の渦に溺れかけている街に再現するんだ。そうだな。名前は、——The Moonlight café.」

山ねこの里のたんじょう祭

かくれやまねこのみんな〜
山ねこの里・たんじょう祭、今年もやるよ〜
つやつやのみどりのトンネルをぬけて、会いにきてね。
みんなの里帰りを、里のみ〜んなで待ってるよ。

山ねこの里　アミ

春風にのってどこかから、今年最後の桜の花びらが届くのと一緒に、僕の右耳の立ち上がった黒い毛が、アミからの通信をキャッチした。今回は、木々のざわめきと里に流れる小川のせせらぎまで聞こえてきたから、なかなかいい調子だ。

僕ら山ねこファミリーは、右耳にピンと立つ毛が仲間同士を結ぶアンテナの働きをしてくれるので、こうしてどこにいたって、メッセージをやり取りできる。離れていてもいつだって仲間と共にいる安心感は、何があっても大丈夫って気持ちを与えてくれるんだ。

ちなみに、左耳に立つ毛は、自分の内側に伸びているアンテナ。痛みや不調にきちんと気づくのは、早めに手当てしたり休んだりして回復するために絶対必要だし、自分が何が嫌で、何が好きか。どんなことがしたくなくて、どういうことがしたいのか。自分の本当の気持ちをしっかりとわかっていないと、自分自身の人生にはならないんだって。自分と繋がるアンテナと、仲間と繋がるアンテナの両方が磨かれれば——つまり、両耳の毛がしっかり生えてきて垂直に立ち上がれば、一人前ってこと。まあ、そんなに難しくはないよ。山ねこの里で暮らしていたら、みんなじきにそうなるもの。

山ねこのモットーは、自由・自立・安心。

どんなものでも「ないなら創る」たくましさをみんなが持っている。食料だって自分たちで調達する。なんせ、そばの小川には魚もカニもたっぷりいるし、山や野原はバッタもネズミも食べ放題。捕まえるのが下手な猫は何にも食べられないかというと、そうではない。調理を手伝ったり、薪拾いや畑仕事をしたり、得意な人が得意なことで力を発揮して、里の暮らしが営まれるんだ。

だから山ねこの里では、誰もが互いに助け合い、自由にのびのび暮らしている。でも、その自由が、最初、なんだか落ち着かなかったな。自分だけ放っておかれているような寂しさと、何をしたらいいかわからない心許なさ。あれは左耳の毛がある程度生えてくるまで、ずっと僕につきまとって、自分が透き通って消えてしまうような気がする日もあった。だけど、他愛無いことでも口に出せば、いいことでも悪いことでも、面倒くさそうなことだったとしても、必ず誰かがその声を聞き逃さず、拾い上げてくれる。それがわかってからは、ずいぶん過ごしやすく、気が楽になった。

僕が暮らしていた頃は、釣り好きのスカイがいて、釣りを教えてくれた。その時は、僕は釣り道具なんて一つも持っていなかったけれど、

「釣り、やってみたいな〜」

とつぶやくと、スカイがついておいでよって、釣り場に案内して、自分の道具を使わせてくれたのが、初めての体験だった。一匹だけ釣れた魚には、針をはずすときに逃げられてしまったけれど、釣りの楽しさをもっと知りたくて、二回目は、スカイと一緒に釣り針から手作りして、山から切ってきた竹に糸をつけ、餌は、地面を掘って出てきたミミズを使ったよ。こんなので釣れるんだろうかと思っていたけれど、不思議なほどよく釣れた。さすがスカイだ。

誰かが何かをやってみたいと言い出した時には、他の誰かが必ず手伝ったり教えたりして、とにかく一緒にやってみるんだ。やらずに諦めるのはもったいない。やってみないとわからないよって、いつだって背中を押してくれる。応援してくれる。そんな猫たちがいる場所だから、僕もたくさんのことができるようになったし、他の猫が何かを望んでいたら、それを応援したいと思える大人になった。

山ねこの里がたんじょうした頃は、子猫三匹と数匹の大人たちだけだったらしいけど、今じゃ子猫だけで三十四！　自由と自立を愛し、山ねこの里のどこまでもやさしい猫間関係を好んで移り住んできた大人や、街から里の噂を聞きつけて、時折訪れ充電しては戻っていく猫もいて、山ねこファミリーは絶賛拡大中。

そのまま山ねこの里に住み続ける猫もいれば、さすらいの旅猫になって気の向くまま、あちらこちらへ移動する猫もいる。共に過ごしたのちに、里を離れた猫たちは、まとめて「かくれやまねこ」と呼ばれている。今じゃ、世界中にいるよ。

僕は、街におりて人間と暮らすことを選んだ、かくれやまねこだ。勘違いしないでほしいのは、単なる飼い猫ってわけじゃないってこと。ほら、飼い猫って飼い主になる人間に選ばれて、人間が与えてくれるものをただただ受け取るような、受け身の暮らしになりがちだろう。僕は、どの人間と暮らすかを自分で選んで、その子の夢の中まで追いかけて行った。だって、本当はとても朗らかで明るい子のはずなのに、なんだか悲しそうに目を伏せて、肩を縮めて歩いているんだもの。どうしてもこの子のそばで暮らして、この子に自由と野生を思い出させたい、思い出させなくっちゃって、使命感に駆られたんだ。夢の中で、その子は電車に乗って、どこか遠いところに一人で行こうとしていた。だから、僕は大急ぎで、僕とおんなじ毛色をしたかくれやまねこたちに協力を仰いで（もちろん、右耳の通信機能を使ったよ）何十匹と連れ立って電車を追いかけた。それはもう必死に気づいてもらおうと、仲間と共ににゃーにゃーって力の限り鳴きながら追いかけたさ。ぼんやり窓の外を眺めていたその子は、僕に気づいてハッとした表情をしたけれど、すぐに電車はトンネルに入って見えなくなった。でも、そこで諦めてはいられないだろ。全速力で山肌を駆け続け、電車がトンネルを抜けたちょうどそのタイミングに間に合って、今度こそ確かにその子と目があい、僕らの縁は結ばれたってわけ。

僕みたいに、現代社会で不自由に生きる人間たちの精神を解き放つ使命を持って街に暮らすかくれやまねこは、意外にいるんだよ。のびのび自由にふるまい、マイペースに暮らす僕らのあり方が、そばにいる人間たちを和ませ、本来のその人らしさを思い出させるみたい。僕が共に暮らす子も、今じゃ毎日歌を口ずさんで、楽しそうにしている。

そうそう、それからもう一つ、山ねこの特殊能力について説明しておかなくちゃ。

尻尾の先で地面をトン！と打っている猫を見たことはない？それができるようになったら、妖精たちの力をかりて魔法だってかけることができるんだ。僕もよくやるよ。どんな魔法をかけているかは秘密。

両耳の毛と、尻尾の三つが十分機能するところまでいけば、今はもう肉体を失ってしまったスピリットとだって、交信できるって話だ。この話を僕に教えてくれたのは、さっきメッセージをくれたアミ。山ねこの里を開墾したアミは、幼い頃から自然いっぱいのところで生まれ育ったからか、しなやかな体の内側に、不思議な静けさと情熱をあわせもつサビ猫だ。額の中心にある明るいオレンジ色の柄は、米粒ほどの大きさで、まるで第三の目みたいだから、きっと僕には見えない何かも見えているんだと思う。

でさ、「肉体を失ってしまったスピリットと交信できる」と聞いて、思わず「でも、死んでるんでしょ？」って声を上げたら、こんな話をしてくれた。

「体はね。確かに死んでる。でも、君が、今の君になるのに強い影響を与えた存在であればあるほど、そのスピリットは君の中に生き続けている。だから、君が望めば、いつだって対話できるよ。ただ、体を持たない存在には、直接何かをしてやることはできないだけなんだ。

私は、グランマ・ぼたんが死んだ後、もっとしてやれたことがあったんじゃないかって気に病んだことがあってね。立ち上がったばかりの両耳のアンテナを使って、初めてぼたんと交信を試みたんだ。

弱ってきたぼたんに食べさせようと、精のつく獲物を狩に行ったのに、取りそこなってなんにも持って行ってあげられなかったことや、食欲もなくなっていよいよ弱っていくぼたんを見るのが辛くて、すぐそばにいてやれなかったことだとか、とにかく思いつくだけの後悔を懺悔したんだよ。

すると、最後まで黙って聴いてくれた気配のあと、遠くでぼたんの鳴き声がにゃーと聞こえた。そちらを見ると、木の上にシルエットが浮かんでいたんだ。その日はちょうど満月でね、シルエットの向こうには大きな丸いお月様が出ていて、真っ白な毛色のぼたんがまるで黒猫のような姿で見えた。ぼたんは静かに鈴を鳴らすように、こう言ったんだよ。『アミ、お前さんが私にこうしてやりたかったと思ってくれているだけで、十分さ。気に病む必要なんか、ないよ。だけど、覚えておいで。お前さんが、お前さんの体と心を使って、誰かに何かしてやれる期間は、案外短いもんさ。私への後悔にさいなまれている暇もないくらいにね。私にしてやりたかったと思うことがあるのなら、それを、お前さんの仲間たちにしてておあげ。そうやって過ごすお前さんの中に、私は生き続け、お前さんを誇りに思い続けることができるんだから』。ぼたんはそう言って、木から降りると、こちらを向いて尻尾の先で大地をトンと叩いたかと思うと、あとは何も言わずに、お月様に向かって歩いて行った。見慣れたぼたんの真っ白い毛を、月明かりが明るく照らし、光り輝いたかと思うと、やがて満月と一つになって、その交信は終わったんだ。

ぼたんは、その時、とてもふくよかな魔法を、私にかけてくれたんだろうね。その日から、私は満月に会うたび、私にできることを仲間にしてやっているかい？ と自分に聴くようになった。私の中のぼたんが、私にそう聴いているような気もする。そうやって、今もぼたんと一緒に生きているんだよ」

そう話すアミは、左耳をぷるんとふるわせてから、毛をピンと真っ直ぐに立てた。それはアミの中のぼたんと、頷き合っているような動きだった。それを聞いた日から、アミの愛は、ぼたんと合わせて二人分あるんだと、僕は確信している。

今年のたんじょう祭も、アミとアミの中のぼたんに会えるんだ。それから懐かしい仲間たちや、右耳の通信でしか知らない猫たちにも。

チーは帰ってくる猫を次々つかまえては、

「久しぶり～。会いたかった～。おかえり～」

なんて言いながら、ハグしまくるんだろうな。去年もそうだった。いや、違う。去年はちょっと違っていた。いきなりハグせずに

「ねえねえ、ハグしていい？」

って聞かれたんだった。あんなのは初めてで、どこか調子でも悪いのかと心配したよ。そんな僕の気持ちを察したミーサが「チーは、同意を得る猫になったのよ。成長したの」と解説し、それじゃあ、

せっかく聞いてくれたからと、

「ハグじゃなくって、猫パンチがいい」

と言ったら、チーは「ＯＫ！」って元気に三回パンチを打ち合って、

「いいパンチ！で、ハグしていい？」

だって。「それはいい」ってそっけなく断ったら、そばで見ていたゆきもルナも、顔を見合わせて大爆笑していたな。チーは、やっぱりハグしないと落ち着かないみたいだった。今年はどうだろう。

チェロはニコニコしながら、チーの隣りで迎えてくれたっけ。

姿を見せた途端、チーにすごい勢いで「おかえり～」と迎えられ、「おかえり？」と面食らっている里帰り一回目のユウに、

「山ねこの里で一緒に過ごしたことがある猫たちは、み～んな家族。みんなにとってのホームがここだよって思いを込めて、おかえりって挨拶するんだよ。ユウ、おかえり」

と穏やかに説明しているチェロの声が聞こえてきた。今年も「おかえり」って迎えてくれるはずだ。

いつも美味しい料理をたっぷり振る舞ってくれるマリおじも、元気かな？

この間は、僕を見るなりニカっと笑って、「大きくなったな～。お腹空いてるだろ？今日は、特製カレーだぞ」と、大盛りのお皿とスプーンを手渡してくれたし、おやつの時間に小腹が空いたな～と炊事場をうろうろしていたら、「お！俺もちょうど腹が減ってきたところなんだ。ラーメン食うか！」と、手早くラーメンを作り、食べさせてくれた。僕に、自分のために作ってもらうご飯のおいしさと、

誰かと一緒に同じものを食べるしあわせを教えてくれたのは、マリおじだな。今年はまたポップコーン作ってよって、右耳で連絡しとこう。

たんじょう祭の楽しみは、集まるみんながそれぞれ持ち寄ったご馳走で開かれる大宴会。毎年作ってくれるチーのレモンスカッシュは、爽やかな五月の風にピッタリ。ミーサの米粉パンはふっくらもちもち。ピンチョスやスパイスカレー、とり飯に豚汁、揚げパン、スコーン、クッキーにパンケーキ……毎年、みんなと美味しいものを食べては話し、話しては飲み、お腹も心も満たされて落ち着いた頃には、歌やダンスや楽器の演奏まで始まるんだ。そんなたんじょう祭を共に過ごしたら、初めて会う仲間も久しぶりの仲間も、あっという間にファミリーさ。

君も、かくれやまねこになりたくなった？
だったら、一緒に連れて行くよ。
きっと里のみんなも、大歓迎さ。
ほら、あのつやつやのみどりのトンネルをぬけてさ。

天球の音楽

ぼくは、あの日、クレーターのでっかい穴ぼこのまん中で、みんなと聴いた天球の音楽を、絶対に忘れない。

それは、荘厳な響きだった。

今だって、ほら、宇宙の星々は規則正しく動き続け、音楽は鳴り止むことなく地上に降り注いでいる。

ねえ、きみにもこの音楽、聴こえるかい。


その存在をぼくに教えてくれたのは、ずっと年上の友だち、キョウジュだ。キョウジュは、昔、本物のキョウジュだった。だけど、全然偉そうじゃない。子どもでも大人でも、変わらずにちゃんと話を聴いてくれる。ぼくが針金で作った竜をあげたときには、しげしげとながめて、それがどんな竜なのかをたずねてくれた。梅の花を見つけて届けたときには、とても大事そうに活けてくれたっけ。自然や動物、外国の暮らし、昔生きた人たちの教えや物語、宇宙の仕組み……キョウジュはあらゆることを知っていて、聞けばなんだって分かりやすく教えてくれる。キョウジュと一緒だと、世界が広くなって、自分がとびきり賢くなれる気がするんだ。

天球の音楽は、いつだって宇宙に満ちている。でも、絶え間なく響いているので、ぼくらの耳には聞こえなくなっているらしい。ただ、キョウジュが言うには、地球上の優れた芸術作品には、必ず天球の音楽のかけらが含まれているんだって。

「世の中で評価されている作品の多くは、俺に言わせれば、天球の音楽の恩恵によるものだ。誰もがそれを聴く力を持っているはずだが、実際にその音楽を聴くものは多くはない。みな、その存在すら忘れているからだろう。でもな、魂に刻まれたその音は、決して忘れられるものではない。だから、芸術作品の中に天球の音楽のかけらを感じると、その表現がなんであろうと、心の奥深くが懐かしさにふるえる。すると、人はそれを無視できなくなる。俺は昔、どうすれば俺に聴こえる天球の音楽を作品の核にできるかばかり考えていた。いろんなことをして、それなりに評価もされた。人々が喜んでくれるのは、気分がいいものだ。でも、天球の音楽の断片しか届けられないのは、やはり残念な気がする。俺が今やりたいのは、天球の音楽を聴ける人間を一人でも増やすことなんだ。そうすれば、誰かに喜びを届けてもらわずとも、自分自身で喜びを生み出すことができるようになるだろう」

その話をしてくれたのは、ぼくがキョウジュの書斎に遊びに行くようになって、部屋の壁という壁が本に覆われている光景に、大分慣れた頃だった。

キョウジュの家は、大きな盆地のまん中にある。昔、空から降ってきた星が地面に衝突した場所だと言い伝えられている。周りは木立に囲まれ、風が吹くと、さわさわという音が心地よい。キョウジュは、その星が作った穴ぼこの中心に家を建て、自然の中、一人で暮らしている。といっても、キョウジュと会いたい者はいくらでもいるから、いつも誰かがいて、笑い声が絶えない。気が向けば、居合わせたみんなでケーキを食べたり、歌を歌ったりもする。庭には、鳥たちが遊びに来るし、鹿やうさぎだってひょっこり顔を出す。あちこちに咲く花の蜜をすいに、チョウやハチもやってくる。

「どうしてここで暮らすことにしたの」

と、聞くと、

「星が接したこの地形は、天球の音楽を増幅するだろうと考えてね。実際、ここはクリアに聴こえる。暮らしてみて分かったが、新月の夜は宇宙との距離が近くなるようで、更に高らかに響く。ここならば、いずれ誰かと共に天球の音楽に身を浸し、その響きについて語り合えるんじゃないかと思うのさ。どうだい、少年。きみにもこの音楽、聴こえるかい」

もちろん聴こえなかった。それはどんな音楽なのとたずねても、

「天球の音楽の存在を知り、お前さんの耳だけじゃなく、全身全霊を宇宙に開いてみさえすれば、自ずと聴こえてくるはずだよ。まあ、ここにいれば、そのうち聴こえるさ」

と、全然、教えてくれなかった。


その日から、ぼくは、新月の日は、必ずキョウジュの家で過ごすことにした。

春も、夏も、秋も。

晴れた日は、外でキョウジュと星をながめて、ぼくが好きな子の話しをしたり、キョウジュの昔々の恋の話しを聞いたりした。雨の日は、書斎の本棚から本を選んで、ソファーで黙々と読み進めた。

その間、雨音や風の音、虫の音や鳥の鳴き声はたくさん聞いたけれど、宇宙は沈黙を続けるばかり

だった。

「本当に天球の音楽なんてあるの。ロマンチックなキョウジュの作り話じゃない」

と、キョウジュに問いつめても、キョウジュは、

「そんなことはない」

と、静かに答えるのだった。


冬になった。

空気は冴え、星の光はますます輝きを増している。

キョウジュの誕生日は、その年、ちょうど新月の前日だった。


「キョウジュ、お誕生日おめでとう。

お祝いに、あま夏をあげるよ！

うちの庭にあるあま夏の木を見ていたら、キョウジュみたいだなって思う。

年中、緑色のつやつやした葉っぱで、心地よい木かげを作ってくれるし、寒くなると、弱々しくなった太陽の代わりに、実が黄色くなってあたりを照らしだす。すると、うんと寒い日でも、不思議とあったかい気分になるんだ。それに、皮をむいたら、さわやかなあまずっぱい香りがそこら中に広がるでしょう。その香りをかぐと、キョウジュの話を聞いたときみたいに、頭がシャキッとして、もっとそ

の先を知りたくなる。ぼくをそんな気持ちにできる大人は、キョウジュくらいだよ。
天球の音楽、一緒に聞けたらなぁ。明日も、また来るよ！
天球の音楽を聞きたい少年より」

ぼくは学校から帰ると、用意していた手紙と、紙袋一杯のあま夏を持って、キョウジュのところへ走った。そうそう、パパが作ってくれた空き缶のギターも忘れずに持って。キョウジュには秘密だけど、キョウジュの友だちみんなで、楽器を持って行ってハッピーバースデーの曲でお祝いする予定なんだ。

キョウジュの家に着くと、もうみんなは集まっていて、ウクレレ、フルート、タンバリン、ハーモニカ、アコーディオン、リュートにバイオリン……あらゆる音色が生き生きと歌っていた。キョウジュは、そこにいる一人一人に話しかけながら、ニコニコしていた。みんながそろうのを待ちながら練習する間に、太陽は木立の向こうに沈み、空は赤からピンク、そして紫へと変わっていった。

キョウジュを囲んで演奏がはじまったのは、金星が輝きだしたころ。一人ずつ順番に演奏して、次につなげていく。ぼくの番は、一生懸命弾いていたら、あっという間に終わってしまったよ。

最後は、全員で大合奏＆大合唱。暗くなった空に、ハッピーバースデーが響き渡り、現れた星々もキラキラと光を投げかけ、お祝いしていた。

音楽が終わり、みんなの拍手と歓声に包まれた、そのとき——

キョウジュが、ハッとした顔で、空を仰ぎ、息をのんだ。

みんなも突然、動きを止め、驚きの表情で空を見上げた。

ぼくにも、何かが違うことがわかった。

猫が毛を逆立てるみたいに、ぼくの全身がざわめいたその瞬間、はじめての感覚がぼくを包んだ。

それは、髪の毛の一本一本、毛穴の一つ一つがアンテナになって、ぼくの内側が細かく振動するようなくすぐったい感じだった。宇宙の機械仕掛けのその音は、いままで聴いたどんな音楽とも違っていたけれど、とにかく、ぼくの深いところは懐かしさで喜びにふるえていたから、絶対に本物だと思う。

ねえ、キョウジュ。そうだよね。

花咲く日々に生きる限り

シャガの花が咲いた。

白い花弁に、複雑に切り込みを入れたような小さなアヤメの形をしたたおやかな花には、黄色い筋が入り、その黄色を際立たせるように薄紫色の斑点が散りばめられている。その花が風に揺れるさまは、めずらしい繊細な蝶が羽を休めているようだ。

我が家の庭にやってきて、はじめて迎える春。数日前からすでにいくつものつぼみが、花開く瞬間を待ちわびるように風に揺れていたが、今朝、そのうちのひとつが開花したのだ。

昔、一日花《いちにちばな》とは知らずにいた小学生のころ、山に行って摘んだシャガの花たちが、夕方にはしぼんで力を失っていくのを、なんとも言えないもの悲しい気分で見送ったことを思い出す。あれもちょうど五月の連休頃だったろうか。あまりにガッカリしている私を見た父は、山でシャガの花を見つけるたび、摘んできてくれるようになった。当時から無口だった父は、いつも余計なことは言わず、少し誇らしげに顔をほころばせ、

「ほら」

と、花を手渡すと、照れくさいのか、私がありがとうを言い終わるのも待たずに、すぐにどこかへ行ってしまうのだった。

父が生まれ育った山あいの里は、街から車で一時間程かかる。近くを流れる川のせせらぎが絶え間なく響き、風に揺れる木々のささやきの中、鳥たちは思い思いの歌を歌う。梅雨には、雨漏りする納

屋でバラバラと屋根を打つ雫のダンスを楽しむことができた。夏から秋になると様々な虫の声で、山は更ににぎやかになった。空がすぐ近く、山の闇は深いので、月も星々も、都会よりずっと力強く輝いている。そんな宇宙《そら》と自然を肌で感じられるその場所は、私にとってもふるさとのようなものだ。

父も、父のきょうだいたちも、若いころそれぞれに里を出たため、祖父が他界してからは祖母が山のふもとの一軒家に、犬と共に暮らしていた。きょうだいの中では、隣町に住む父が一番近かったこともあり、私が幼いころから、父は休日のたびに家族を連れて祖母のところへ行き、時には泊まりがけで、買い物の手伝いから畑仕事、裏山の手入れまで、せっせと励んでいた。冬場はそこから犬を連れて狩猟にも出かけ、鹿やイノシシが食卓にのぼることもあった。弟と私は、父が山仕事をしている間、木立の間に秘密基地を作り、ピーピー草で合奏し、おなかがすけば、そこら辺にあるあけびやざくろ、桑の実やイチジクをとって口に放り込んだ。時折、虫にさされたり、竹やぶに引っかかったりするアクシデントに見舞われても、弟やときどき顔を出すいとこたちと野山を駆け回り、自宅の狭い庭では得られない解放感を味わった思い出深い場所なのだ。

毎週私たちが訪ねると、しわだらけの顔をさらにクシャっとほころばせ、曲がった腰を伸ばして父を見上げて迎える祖母は、いつも心からうれしそうに見えた。

祖母は、昔から父を「かんちゃん」と呼ぶ。孫の私たちには「あなたたちのお父さん」と言うのだが、父に話しかけるときは、いつもそうなのだ。

「かんちゃん、お茶入れようか」

「かんちゃん、ご飯は食べるね」

そういって、あれこれ世話を焼こうとする祖母に、いつも通り無口な父は、

「うん」

とか、

「よか」

と、素っ気なく答えるのだが、ぶっきらぼうな大男が「かんちゃん」と呼ばれるのを聞くのは、子どもの心になんともおもしろい光景だった。

そして、祖母だけでなく、盆や正月に帰ってくる父の妹や弟までも「かんちゃん」と親しみを込めて呼ぶので、自然、いとこたちも「かんちゃん、かんちゃん」と、父の周りにまとわりつくようになっていた。


春先には、つくしやふきのとう、たけのこが芽を出し、夏の初めには梅が実をつける。秋になると、栗や柿がたわわに実る、豊かな山。

次々に巡ってくる収穫の時期になると、祖母と母は、俄然忙しくなる。梅仕事や栗の皮むき、干し柿作りに柚子茶や味噌の仕込み……。料理が好きな母は、祖母との季節ごとの手仕事を楽しみにしていたが、二人ではどうにもならないほど大量に収穫できた年などは、弟も私もかり出され、一家総出で梅のへたを取ったり、栗や柿の皮をむいたり、みんなで忙しく働いた。冬に風邪を引けば、祖母は

決まって黄色く色づいた金柑をとってきてたっぷり鍋にいれ、水と黒砂糖を加えると、石油ストーブの上でクックッと煮詰めた金柑茶を作ってくれたりもした。その金色のとろりとした液体は、まろやかでとびきりおいしく、大人になった今でも、風邪を引いて心細い夜には、あの味と、鍋をのぞき込む祖母の曲がった背中を、懐かしく思い出す。

娘のすみれが生まれたとき、祖母は、まだその山里に暮らしていた。もう随分年を取り、足を悪くしてはいたが、頭はまだまだしゃきっと現役で、ひ孫の誕生をしみじみと喜んでくれた。父と母が結婚式を挙げたという八幡宮にお宮参りをしたその足で、夫と両親と共に、すみれの顔を見せに立ち寄ったのは、山にヒグラシの声が鳴り響く季節だった。

薄く小さな爪がついた娘の細い指を、一本一本優しく触れながら、祖母は、
「すみれさんね。よう生まれてきんしゃった」
と、目を細めると、シミが浮き、血管が目立つ年季の入った手を注意深く丸め、そっと彼女の頭をなでた。その優しげな手と、生まれたての新生児のふにゃふにゃの肌との対比を眩しく見つめていたら、同じように感じたらしい夫がすかさずカメラを構え、シャッターをきった。

「ばあちゃん、よく四人も生んだね。一人生むのも本当に大変だったよ……」

あの息が詰まるほどの陣痛を四回も経験して、父たちをこの世に送り出し、無事に育て上げた祖母の苦労を思い、私がそう言うと、祖母は意外な話をはじめた。

「ばあちゃんは、五人生んだとよ。あなたのお父さんの前に、もう一人おったっちゃけど、その子は生まれてすぐに、寝とる間に死んどんしゃったたい。朝になったら息ばしとらんかったと。それで、じいちゃんも私も警察に連れて行かれて、調べられたとよ」

「突然死？」

「前の日の夜は、普通に乳ば飲んで寝とったとよ。警察がいろいろ調べんしゃったばってん、なんで死んだかは、よくわからんかったたい。結局、今回は罪にせん。ばってん、あんたは子どもを一人死なせとるけん、お国のために、これから四人は子どもば生んで育てんしゃいって。そげん警察の人がいいんしゃーけん、それから必死になって生むしかなかったたい」

「警察がそんなこと言うの？ そんなの誰かが口出ししていいようなことじゃないよ」

はじめての子を亡くして間もない人間に、そんな言葉を叩きつけるなんて。祖母はどんな気持ちで、その時期を過ごしたのだろうか。驚きと怒り、憤りで思わず大きくなった私の声に驚いたのか、すみれは手足をびくっとさせ、バンザイをするように腕を広げた。

「警察の人がそういいんしゃーけん、仕方がなかったたい。宗男ば生んだ時は、やっとほっとしたとよ」

宗男おじさんのやさしい佇まいと、ニコニコとした笑顔が目に浮かんだ。そして、彼が祖母に運ん

できた、大きな安堵と解放感を思った。祖母は遠い目で穏やかに語ると、

「すみれさんも、元気に、大きゅうなるとよ」

と、バンザイの姿で眠るすみれの頬を、そのしわだらけの手で、愛おしそうになで続けた。


父の肺にがんが見つかったのは、祖母が死んで二年が過ぎたころだった。

すみれは、九つになっていた。

すみれが歩きはじめるころには父は定年を迎え、母と共に隣町から祖母の家へ移り住んでいたこともあって、私たち一家は時間を見つけては祖母の里山で過ごすことが増えた。私が幼いころそうしたように、すみれも野山を駆け回り、山の恵みでおなかを満たし、やがて生まれた弟の楓と連れ立っては冒険に出かけるようになった。日々、行動範囲を広げる子どもたちとは対照的に、祖母は日当りのよい縁側の座椅子で、うつらうつらと過ごすことが多かったが、すみれと楓の声が聞こえると、

「まあ。すみれさんと楓さんが来とんしゃあと。かんちゃん、なんかあるね」

と、父にみかんや干し柿などを持ってこさせ、子どもたちと一緒に、お茶を啜ることもあった。

私たちが祖母の不在にようやく慣れてきたころ、祖母がよく座っていた縁側の座椅子に腰掛けた母が、湯飲み茶碗を手に、深刻な顔で父のガンについて打ち明けてくれたのは、梅のつぼみがふっくらと太りはじめた、あたたかな冬の午後だった。幸い、手術をすれば回復は期待できるという。が、今まで父と二人三脚で暮らしを重ねて来た母には、心細い状況だということが、ひしひしと伝わってき

た。

「お父さん、手術はもうよかろうって言うとよ。まだまだすみれちゃんたちの成長を見てやらなって言って、どうにか手術はすることになったっちゃけど……。仏壇の前に座っとう時間も長いし、お義母さんが亡くなって、やっぱりさみしいんやろうね」

母がしんみりと言うと、そばでみかんをむきながら黙って聞いていたすみれが、突然、口をはさんだ。

「かんちゃんが、がんちゃんになったんだね。涙の点々がくっついちゃったんだ！」

そして、むき終わったみかんを半分に割ると、片方を口に放り込んだ。

父は、祖母のお葬式の時すら涙を見せなかった。すみれと楓が、

「もっとおばあちゃんと会いたかったよ～。悲しいよ～」

と、おいおい泣き、私や母がそれにつられて泣き出したときも、父だけは、ぐっと唇を結んだまま、いつも以上に無口でいた。男は泣くな、弱音を吐くなと育てられてきた、昭和の九州男児らしい別れのシーンを思い出す。

けれど、ぐっと飲み込んだ悲しみは、痛みは、心の奥深くに降り積もって、決して消えない。たった一人の母親が亡くなったときくらい、泣いたっていいんじゃない。そう言葉をかけたところで、きっと父は泣かなかっただろう。

すみれの言う通り、あのとき流せなかった涙の粒が2つ、かんちゃんにくっついて、がんちゃんに

なったのかもしれない。だとすれば、その悲しみの涙を、どうすれば拭ってあげることができるだろうか。泣けない父の代わりに、悲しみを引き受けてくれたがんちゃんを、どうすれば労ってあげることができるだろうか。

その日の夕食を囲む食卓で、すみれが父に向かって、かんちゃんのがんは悲しみの涙説を披露すると、父は否定も肯定もせずに、

「そうね」

と言ったきり、黙って箸をすすめていた。すると、今度は楓が、

「おじいちゃんさ、泣いたら、がん、治るんじゃない。泣いてみたら？」

と、無邪気に言った。

「いや、泣かん。男は泣かんとよ」

「でも、ママは男だって、悲しかったら泣いた方がいいって言ってたよ。ひいばあちゃんが死んだとき、ぼく、泣いたよ」

楓なりに懸命に説得しているつもりらしい。父は、箸を止めると、ふっと息を吐き苦笑いして、また、

「そうね」

とつぶやいた。

手術は、父の希望で猟期が終わる三月後半に決まった。

私は、手術までの間、できる限り、父のところに顔を出すことにした。せめて身体の緊張を少しでもゆるめ、手術の傷の回復が早まることを願って、手足や背中をほぐしてやろうと思ったのだ。残念ながら、私に思いつくのはそれくらいだった。マッサージに付き合ってよ、という私の頼みを聞くと、父は、意外にも、

「ほら」

と、あっけなく手を差し出した。部屋には、三月の明るい光が降り注いでいた。

「よか」

その一言で拒絶されたらなんといって目的を遂げようかと、あれこれ思案していた言葉たちが出番を失ったのは、私の嬉しい誤算だった。

用意してきた香りのよい精油を手にとり、父の大きな掌を両手で包みこむ。父の手はほっとするあたたかさで、そのぬくもりにあたためられた精油は、ふわりと香り立ち、私たちを包み込んだ。風が山の木の葉を揺らし、その音を気まぐれに運んでくる。こんなにじっくりと父の手と触れ合ったのは、何年ぶりだろう。順番に一本一本の指を優しくほぐし、精油を馴染ませていると、サイズの差こそあれ、父の指と私の指が面白いほど同じ形をしていることに気がついた。爪の形状、指の長さ、そして、関節まで、本当によく似ている。

「ああ、やっぱり遺伝子はお父さんの方が強いんだね。見て！瓜二つ」

互いの掌を並べて大発見を伝えるような私に、父は、

「本当やね。よう似とう」

と、笑顔になった。

幼いころから、私は父に似ている、お父さん似だと言われ続けてきたことまで、思い出されてきた。父に似て指先が器用だ、父に似て根気がある、父に似て……。そしてまた、父も、その父や母かられらよきことを受け継いできたのだ。そんなことをぼんやり思いながら、父の身体に触れ、がんちゃんには、

「今まで悲しみを引き受けてくれてありがとう」

と、心の中でそっと語りかけ続けた。


手術は、無事、終わった。


母は、「まだゆっくりしていたら」と、心配そうに気づかっているのだが、退院し、家に戻った父は、

「寝とったら身体がなまる」

と、入院している間に、見上げる程成長したタケノコを切り倒したりして、じっとしていないらしい。

ふるさとに戻ってきた父は、半月前に病院のベッドでぐったりと横になり、顔をしかめて、「痛い」と控え目に、でも珍しくはっきりと痛みを訴えていたのが嘘のように、順調に回復していた。丈夫な

身体も、父が受け継いだよきことのひとつなのは確かだった。それを与えてくれたご先祖さまに、感謝するばかりだ。

「ほら。これ、あんた、好きやったろう。庭に植えんしゃい」

週末にすみれたちを連れて父を見舞うと、父は待ちかねた様子で納屋に行き、そこに置いてあった植木鉢を、私に差し出した。素焼きの植木鉢には、すらりとした葉が伸び、その間に懐かしい白い花が顔をのぞかせている。

「わあ、かわいいね。ちょうちょみたい」

生き物好きの楓が、ぱっと目を輝かせた。

「おじいちゃん、すみれのもある？」

すみれが言った。

「ああ、あるよ。一個ずつ持って帰んしゃい」

それを聞くと、

「おじいちゃん、ありがとう！」

二人は声を揃えて、父の周りをうれしそうに飛び跳ねた。父はそれを満面の笑みで見つめている。

「お父さん、覚えていてくれたのね。ありがとう」

父は、私の「ありがとう」を最後まで聞き届けると、

「今朝、山に咲いとったたい。花ば取ってこようと思ったとばってん、庭に地植えしたら毎年咲こうが」

と言葉を継いだ。それから、いつか子どもの頃に見たことのある、あの照れくさそうな、そして誇らしそうな表情で、山を見やった。

今年、花を愛でる余裕もなかった桜は、とうに葉を茂らせていた。梅には、もう青い実が鈴なりになっている。言葉を持たない自然は、何があってもいつも静かに、それぞれのテンポで営みを続け、地上を彩る息吹のバトンは次々手渡され、花開き、実を結び、移ろっている。

止まらない時間の流れの中で、よろこびと同じように悲しみが訪れる日が、きっとまたあるだろう。けれど、私たちはよろこびの歌を歌うように、悲しみを語り継ぎ、いつしか歌となった懐かしく美しい響きを、誰かに聴かせることだって、できるはずだ。愛した人との優しい思い出と共に。

そう、この地上に命が連なる限り、私たちの花咲く日々は終わらないのだ。

小人のレシピ

ねえ、キミは十二月の小人って知ってる？　こいびとじゃないよ。こ・び・と。

クリスマスの季節が近づくと生み出される、直径3センチほどのふくよかで愛らしい小人がそうさ。彼らは、十二月の間中、みんなが無事にその年を終え、新しい一年を迎えるために、力を尽くして働いているんだよ。お腹が空いている子がいれば、パンやミルクや卵が手元に届くように計らってくれるし、ほら、クリスマスカードやプレゼントが当日までに届かなかったりすると、嫌なものだろ。郵便なんかで届け先が間違っていたりすると、小人たちはそれをあるべき場所にそっと入れ替えてくれることもあるんだ。孤独に膝を抱えて部屋に閉じこもっている人には、ラジオからその人の優しい思い出とつながった曲を流してくれたりもする。寒さに凍えそうなほどの暗い夜には、希望を見失わないように、星々の光に気づかせようと物音を立てることだってある。まあ、ぼくが言っているのは、彼らのごくほんの一部の活躍なんだけどね。とにかく、十二月に起こる好ましい出来事の多くは、彼らのお陰だと思って、まず間違いない。

小人たちは、その年に入ってから十一月までの間にたまった、地上のやさしさの粒でできるんだ。やさしさの粒は、誰かが誰かのことを思って何かをするときに、必ず生まれる粒子なんだけどね。例えば、小さな孫の手を温めてあげたいと思いながらミトンを編むお婆さんの周りには、編み棒のひとすくいごとにやさしさの粒がぽろんぽろんと足元に転げ落ちていく。ミトンの大きさにもよるけれど、片方のミトンでざっと小人ひとり分の材料になるんだよ。

人間だけじゃない。動物や植物だって、やさしさの粒を生むことができる。

猫が人間の膝に乗ってゴロゴロと喉を鳴らすのは、その人間を今という瞬間に連れ戻してやるための行いなんだけどさ、ゴロゴロという音と共に、膝の上は猫のやさしさの粒で覆われていくんだ。そのうち、過去の後悔や未来の不安に漂流していた人間の方も、ようやく今に戻ってきて、膝の上の猫の頭やら顎の下やらをなでるようになる。そうすると、人間の掌からもやさしさの粒がこぼれはじめて、目的を達成した猫はやさしさの粒にまみれて満足げに眠りにつくんだよ。それはそれは満ち足りたのどかな光景で、それをみると世界は完璧だって気さえする。

ああ、それから、ほら、そこの木の下に、どんぐりが落ちているじゃない。子どもなんかがやってきて、ポケットにどんぐりをいくつか入れて持ち帰ったりするだろう。どんぐりってものはどの子も、お母さんの木からできるだけ遠いところまで旅して、やがてお母さん以上に立派な木に成長するのが夢なんだ。だから、選ばれなかったどんぐりたちは、内心とてもがっかりしている。でも、どんぐりたちは、取り残される淋しさを感じながらも、仲間のどんぐりに、旅の安全や幸運を願って声援を送る。お母さんの木の方も、足元を見下ろしながら、枝をふるわせ木漏れ日のシャワーで祝福して送り出す。そんな気のいいどんぐりが多い木の下では、どんぐりとやさしさの粒がいい具合に広がって、光を浴びてまろやかに輝いている。ちょうどその木がそうだった。

木々が紅葉し、北風が吹いてくる季節になると、その風によってやさしさの粒は集められるんだ。街中の落ち葉の動きを注意して見ていたら、色とりどりの葉っぱとやさしさの粒が、秋の澄んだ空気を含んで混じり合い、しっとりとした金色の輝きを放つのが見えるはずだよ。ボクのおすすめは、銀杏《いちょう》の木の近くだな。あの鮮やかな黄色い扇の形をした葉っぱたちが、北風に巻き上げられ、やさしさの粒と攪拌されふっくらと積もった様は、上質なキャラメルのような幸せ色で、甘く優しい香りまで漂ってくるようだよ。そんな景色に遭遇したら、そっと耳を澄ましてみてね。カラカラカサカサという乾いた落ち葉が立てる音に混じって、小さな泡が弾けるような高い高い音が微かに聞こえるはずだから。その音は、やさしさの粒が宇宙《そら》にのぼる準備が整った証拠。でも、準備が整っただけでは宇宙《そら》にはのぼれない。月の光に照らされてはじめて、やさしさの粒は、西の空に浮かぶクリスマスの星に合図を送り、星に迎えてもらうことができる。だからね、北風が吹きはじめたのに気づいたら、キミにお願いがあるんだ。人間が誰かを思ってすることって、料理だったり、編み物だったり、壊れたものを修理したり、たいてい部屋の中でするでしょう。だから、家中にたくさん落ちているやさしさの粒を、残らず外に出してあげてほしいんだ。ほら、家の奥までは北風は入り込めないからさ。やさしさの粒が見えないって？　見えなくても大丈夫だよ。家の中なら、埃とおんなじ場所に落ちているから。家中の窓を大きく開けて、風を通しながら、埃と一緒に箒で掃き出してくれれば十分さ。早めの大掃除までできて、一石二鳥でしょ。

クリスマスの星に迎えられたやさしさの粒たちは、強力なエネルギーでぎゅっと固められ、小人としての命を吹き込まれる。オクタグラムって聞いたことあるかな。八芒星なんていう言い方もするけど。十二月の小人には、その印、八つのトンガリを持つ星が、体のどこかに現れるんだ。それが、十二月の小人として生まれた証拠。生まれたての小人たちは、クリスマスの星から地球を熱心に観察しているそうだよ。自分が一番役に立てそうな場所を探して、どんな手助けをしようかと向こうにいるうちから計画するんだって。そうして十一月が去り、十二月一日の0時を過ぎるといっせいに、クリスマスの星から放たれ、地上のあらゆる存在のために人知れず働き出すんだ。

ところで、十一月までに月の光に照らされることが叶わなかったり、十二月に生まれたやさしさの粒はどうなると思う？

実はね、地上にやってきた小人たちの食糧になるんだよ。やさしさの粒がたくさんあればあるほど、小人たちは力を得てよい仕事がたくさんできるし、奇跡だって起こすようになる。色々な条件が重なって奇跡を起こした小人は、十二月を過ぎても生き延びて、それまで持たなかった自分の名前と、新しい役目を与えられる。新しい役目っていうのは、この秘密を心ある人々に伝えて、小人が生まれやすい地球にすること。彼らはどんな時代であろうと、生まれたがっているし、ボクらのために働きたがっているんだよ。

なぜそんなことを知っているかって？　去年、ボクに奇跡を起こしてくれた小人のポックが、そう話してくれたんだ。でも、最初もらったメモはこんな具合だった。

12月の小人
・やさしさのつぶ　………　できるだけたくさん
・北風　………………　てきりょう

・11月の月の光　…………　なみなみ
・クリスマスの星　………　ひとつ
（たべもの）やさしさのつぶ12月分　………　できるだけたくさん

全然わからないよね。ボクもさっぱりだった。それでね、一年かけてポックと話して、ここまでわかった。ポックは、主にボクが落としたやさしさの粒を食べて生きている。だからなのか、一緒に過ごせばその分だけ縁が深くなるみたいだ。今じゃ、声もはっきり聴こえるし、ポックが身につけている赤いマントの裾の綻びまで見えるようになった。ポックの鼻歌、聴こえてる？ダメか。でもね、ボクが特別だとか、空想の世界に生きている変った人だなんて思わないでね。名前持ちの小人と暮らす人間は、みんな言わないだけで、意外にいるものだよ。

どうしてこんな話をって、キミは不思議に思っているだろうけど、どうしてもって頼まれたんだ。キミの手助けをしたがっている、まだ名前を持たないその子に。「キミのやさしさの粒は、特別美味しい」って伝えてくれって。どうかたくさんご馳走してあげて。

じゃ、ボクらはこれで。Au revoir!

銀鱗の楽士

「ドミンゴ・ドランゴ・ドインゴ」

その呪文を、僕に教えるためにメイとレイがひっそりと口にした瞬間、僕の左腕のバングルが、ボウっと光を放ちはじめた気がした。

メイとレイは白ねずみの親子。縁あってこれから一緒にブエノスアイレスへ行くところだ。彼らがいうには、竜の鱗に触れたものがこの呪文を唱えると、竜のスピードで空を飛び、行きたいところへ行けるという言い伝えがあるのだという。今どき呪文だなんて、本当に効くの？　と、僕は半信半疑なんだけどね。

北半球に住む僕らが、南半球のアルゼンチンの都市ブエノスアイレスに行くことになった理由を説明するには、かなり長くなるけど、聞いてくれる？

まず、この二匹のねずみたちとの出会いから話さないと何もはじまらない。まあ、聞いてよ。


それは三月に入って間もない、土砂降りの夜だった。バケツの水をひっくり返したような雨っていうけど、まさにそんな感じの雨で、家の中にいてもすごい音が響いていた。

僕は毎晩、自分に子守唄を聴かせてやるようなつもりで、ルネサンスギターを抱えて練習するんだ。ルネサンスギターって知っているかな？　普通のギターよりずっと小さくて七本の弦が張ってある。音色はなんともいえず軽やか。それが気に入って、前の持ち主に頼み込んで譲ってもらい一年になる。自分の心を調律してくれるような心地よい透き通った高音が出るし、小ぶりで扱いやすい。真ん中のサウンドホールにレースのような彫刻が施されているのもオシャレでいい。そのお気に入りの楽器を手にして、この楽器が流行っていた十六世紀ごろの曲を、気ままに弾いてから眠りにつくのが日課だ。そうするようになってからというもの、不眠症気味だった僕でもぐっすり眠れるようになったものだから、まさに入眠前の子守唄って感じ。

だからその晩も、もちろんそうするつもりでいた。ブランルという曲を弾き、その最後の音の響きが消えるのを聞き届け、外の雨音だけが耳に届きはじめたときだった。

「どうか助けてください」

声にならない声が聞こえた気がして、辺りを見回すと、椅子に座った僕の足元に白ねずみが一匹、なにかを背負ってうずくまっていた。それが、メイとその息子レイとの出会いだった。

「わたしはメイといいます。そして、背中のこの子はレイ。レイは昔から体が弱く、病気のたびにあなたの音楽を聴きに、こうして背負っては床下にお邪魔しておりました。あなたの音楽を聴いた翌日には、レイはいつも不思議なほど回復して、どうにかここまで育ってくれたのです。なのに、今日は……」

メイの言葉はそこで途切れ、ぽろぽろと泣き出してしまった。でも、メイはこうしてもいられないと気を取り直したように、背中の包みを下ろし抱き上げると、僕にレイを見せた。レイは固く目を閉じたまま、僕にもわかるほどの虫の息で、状態が悪いことははっきりしていた。

「どうかこの子に、もっと近くで聴かせてやってはもらえませんか。そうすれば、命を繋ぎ止められるのではないかと、思い切ってここに参りました」

メイは、これが最後の手段と覚悟を決めて、僕の前に姿を現したようだ。

「僕が弾くギターにそんな力があるとは思えないけど」

メイとレイを気の毒に思いながら僕がそう言うと、メイは
「たとえ今晩この子の命が尽きたとしても、覚悟はできています。回復できなかったとしても、あなたの音楽に包まれていられれば、きっと安らかに旅立てると思うのです。だからどうかお願いです。聴かせてやってください。お願いします」

メイはそう言って、真っ直ぐに僕を見つめて譲らない。死にそうな子ねずみを抱えた母親を追い返す気にもなれなかった。それで、僕は僕にできることをしてやることにした。三月とはいえまだシンシンと冷え込み、雨は、まるでドラムのように屋根を打ち続けていた。

「わかったよ。でも、床の上は冷えるよ。レイを抱いて、ポケットに入って聴けばいいよ。一番の特等席だよ」

僕は、パジャマの胸ポケットを指差した。メイは、目を大きく見開いて、また涙をぽろぽろこぼしながら、目を閉じたままのレイをギューっと抱きしめて「よかったね」と言い、深々とお辞儀をした。

そんなメイの前に右手を差し出し、二匹をポケットにそっと入れると、それから先ほどと同じ曲を、もう一度ゆっくりと弾いてやった。レイだけでなくメイも身じろぎ一つせずにいた。だから、生きて

いるのか死んでいるのかさえわからないほどだった。心配だったけれど、とにかく一生懸命弾き続けた。その間に、激しかった雨も弱まり、やがて静かになっていた。そして、自分が弾けるだけの全ての曲を一通り弾き終わった頃には、空は白々と明けはじめていた。

あんなに弱っていたレイは、もう死んでいるのかもしれない。そう思うと、ポケットの中を見るのが怖かったけれど、弾ける曲も尽きてしまってはどうしようもない。それで、恐る恐る中を覗き込むと、レイはスヤスヤと寝息を立てていた。メイは一睡もしていない赤い目を潤ませながら、僕を見上げて言った。

「このご恩は、一生忘れません。あなた様のお名前を教えてください」

「僕は、リュート。恐竜の竜に、叶うと書いて竜叶だよ」

「竜叶様。本当にありがとうございました」

「様だなんて、やめてよ。竜叶でいいよ。レイ、落ち着いたみたいでよかったね」

メイは大きく頷いて、何度も僕を振り返ってはお辞儀を繰り返して、帰って行った。

僕が今日こそは早く休もうと、寝る前の子守唄は早々に切り上げてギターを置くと、昨日のメイがまた姿を現した。今度はレイは連れてはおらず、首には銀色の金属の輪っかをたすきのようにかけていた。メイは、僕の目の前にやってくると深々とお辞儀をし、恭しくそれを床に置いたのだった。

「昨晩は息子の命を救っていただき、本当にありがとうございました。レイはあれから昼すぎに目を覚まし、お腹が空いたとキャベツの葉をもりもり食べて、見違えるほど回復しています。竜叶様のおかげです」

「竜叶だよ。様はいらないよ」

「では、竜叶、これは命の恩人のあなたにこそお持ちいただくのが相応しいと思い、持ってきました。どうか受け取ってください」

メイは鼻先でぐいと僕の方に銀の輪っかを押し出した。よく見ると、バングルのようで、中央にうめこまれた丸みを帯びたメダルには、海から太陽へと真っ直ぐのぼる竜と、竜によって二分された左右の空には星と月が刻まれていた。

「これは何？」

「我が家に代々伝わる、竜の鱗でございます」

「これのどこが竜の鱗なの？ ただのバングルに見えるけど」

「このメダルの裏側の丸いものがそうだと伝え聞いています」

確かにメダルの裏側には、僕が初めて目にする質感の銀色のプレートのようなものがはめられている。竜の鱗と言われれば、そんなふうに見えなくもない。

「昔々、この鱗の持ち主の竜は、一人の人間ととても強い信頼で結ばれていたといいます。竜の寿命は大変長いのですが、その人間が死ぬまでずっとよき友であったそうです。そして、種を超えても友情を育める証として、彼らはこれを作ったのだそうです。銀色の鱗は竜の背から、メダルの方は人間が竜に贈った紋章なのだと聞いています。私の祖先も、その人間と親しかったようで、その方が命を終えられる時に、地上に共に暮らす仲間を愛する力を持つ人間に出会えたら、その時にはこれを手渡してほしいと託されたといいます。もう何百代も前の祖先の話です。見ず知らずのねずみの頼みに耳を傾け、一晩中、消えそうな命のために音楽を奏で続けてくださったあなたにこそ手渡されるべきものです。そう思いお持ちしました。今日からこれはあなたのものです。竜叶、どうかお納めください」

メイは断らせない気迫を秘めた強い眼差しで見つめるし、眠くて断るのも面倒だった僕は、素直に頷いて左腕につけると、そのまま眠りについたのだった。

しばらくはそんな出来事も忘れ、左腕のバングルはそのまま身につけ過ごしていたんだ。けれど、夏の暑さもいくらかやわらぎ、虫の声が美しく響きはじめた頃だった。メイとレイが、今度は朝一番にやってきたんだよ。

「竜叶、起きてください。私たちのこと、覚えていますか?」

「もちろんさ。おはよう、メイ。レイは、前会った時よりずっと大きくなったね」

レイは名前を呼ばれて、嬉しそうにぴょんと跳ね、こんなに元気になったよというように僕が寝ているベッドの周りを一回りして、母の隣にぴたりと寄り添った。

「元気になって本当に良かった」

「はい。その節は本当にありがとうございました」

「こんなに朝早くにどうしたの？」

まだもう少し眠っていたかった僕は、体をゆっくりと起こしてあくびをしながらいうと、メイはかしこまって跪き、こういったんだ。

「実は、竜叶にお願いがありまして。レイの身に起こった奇跡の夜の話が、ねずみ界で大きく広がっております。その噂を聞きつけたブエノスアイレスに住む教会ねずみのマルティンから、今朝、便りが届いたのです。マルティンの娘が、あの日のレイのようにひどい病のために虫の息なのだと。そして、なんとかして竜叶の音楽で娘を助けてやってくれないかというのです」

「助けてやりたいのは山々だけど、ブエノスアイレスってアルゼンチンの都市だろう。ここからはずいぶん遠いし、行けないよ」

「いいえ、行けます」

メイは、毅然と背筋を伸ばして言い切るんだ。でも、飛行機に乗れたとしても二日はかかる場所だよ。なんせ、地球の裏側なんだから。でも、メイは落ち着き払って言うの。

「竜の鱗を使えば、空を飛んで行けるのです」

「え？」

僕は、目を丸くしてメイとレイを交互に見た。すると二匹とも、うんうんと頷くんだ。

「伝説の通りであれば」

声を落としてそういうメイは、ほんの少しだけ不安そうに目を伏せたが、再び目を上げ、僕を見ると、言葉に力を入れてこう言ったんだ。

「伝説の通りであれば、竜の鱗を手にしたものが、ある呪文を唱えれば、竜のスピードで空を移動できるはずです。私どももお供します。行ってくださいますね」

メイは初めて会った日と同じだけの熱心さで、頼み込んでくる。レイを失うかもしれないと感じたあの夜の辛さを、マルティンが今この時も感じているだろうことを思っているのは、メイの潤んだ瞳からみてとれた。彼女からは、いつも僕にできるかどうかわからない不確実な頼まれごとをされてい る気がする。だけど、できないというのはやってみてからでも遅くない。本当にそんな伝説があるのなら、試しにやってみようじゃないか。僕はそう決めると、ベッドから飛び起きて大急ぎで着替え、肩掛けバックに荷物をまとめた。それから、ギターを背負い、左手にバングルがあることを確認してから、二匹をシャツの胸ポケットに招き入れ、外に出た。明け方にまた雨が降っていたのか、地面はしっとりと濡れ、そこに朝日がさして美しく光っている。木々の枝には、雨の雫があちらこちらにたくわえられ、光を受け、銀色にきらめいていた。

「それで、なんて呪文?」

「ドミンゴ・ドランゴ・ドインゴ」

二匹はポケットの中で、小さな声でささやいた。もうその時には、竜の鱗は目覚めはじめていたんだと思う。

「あとは、行く先を心に強く描いてください。ブエノスアイレスの教会ねずみ、マルティン家ですよ」

メイが付け加えた。

「OK。じゃあ言うよ」

僕は、行ったこともないブエノスアイレスのマルティン家を心に漠然と描く。

こんなのは一息に言わないと、効く気がしない。僕は、緊張して声が震えるのを誤魔化すように、空に向かって竜を呼び出すつもりで叫ぶ。

「ドミンゴ！ドランゴ!! ドインゴ!!!」

一呼吸おいた頃、バングルにはめ込まれたメダルの裏側から強力な光がもれ出し、あたり一体に広がったかと思うと、それから一瞬遅れて、全身がふわりと空に舞い上がった。その風を受けて、雨の雫たちが枝枝の先から輝きながら地上に降り注いだ様子は、それは幻想的で美しかったよ。けれど、それをゆっくり鑑賞する暇はない。みるみるうちに僕らがいた街は遠ざかり、上空の青の世界に吸い込まれていく。

（うわぁー）と心の中で声を上げるのが精一杯。竜のスピードというものは、凄まじいんだ。目の下の景色はぐんぐん過ぎ去って、青い海がずーっと続いている。やっと言葉を取り戻した僕が、

「本当に飛べるなんてね！君たちのご先祖さまが守ってきた竜の鱗の伝説って本物だったんだ。すごいよ」

そう言ってポケットのメイとレイを見ると、二匹は誇らしそうに顔を見合わせていた。お日様の光が反射して、竜の鱗の目覚めを祝福しているような海がどこまでも続いていた。やがて緑の大地が現れ、その緑を切り分けるように街が見えてきたかと思うと、そこがブエノスアイレスの街角だった。大きな教会の前に降り立ったのは、多分、うちを出てから数時間しか経っていなかったと思う。光を湛えていたバングルは役目を終えると、いつもの銀色に戻り、素知らぬ顔を見せていた。

降り立った地面には、マルティン家の迎えのねずみが待ち構えていた。

「銀鱗の楽士さま、よくお越しくださいました。私はマルティンの娘サラです。妹のルナのところへすぐにご案内します。どうぞこちらへ」

マルティンの娘の病状はかなり深刻らしいことが、サラの切羽詰まった口調から感じられた。ルナはサラの末の妹らしい。マルティン家が住んでいるのは、三百年前に建てられた球形の高い天井を持つ教会だった。その奥まった小さな空間に案内されると、床下からゾロゾロと数匹のねずみが姿を現した。

「銀鱗の楽士さまよ」

「良かった！　伝説の楽士さまが本当にいらしてくださったのね」

そう囁きあって、涙に潤んでいる声が聞こえる。腕に子ねずみを抱いている一番大きなねずみが一歩前に出るとマルティンと名乗り、

「銀鱗の楽士さま、貴方さまのお力でどうか娘の命をお助けください」

そう深々とお辞儀をし、そして、腕の中のルナに向かって、

「ルナ、銀鱗の楽士さまがいらっしゃったからにはもう大丈夫だぞ。楽士さまの音楽を聞けば、すぐに元気になれるからな」

と力強く言うのだ。ルナは目を開けて、かすかにうなずいたように見えた。

メイとレイは、胸ポケットの中でうなずき合ってから僕の肩に駆け上ると、メイが耳元でこう言った。

「竜叶、どうかレイの時みたいに特等席で聴かせてやってください」

もちろん僕もそのつもりだ。ただ、銀鱗の楽士って意味がわからないや。だけど、まずはこの子を助けてあげなくては。

「じゃあ、僕のポケットにどうぞ」

僕はルナとマルティンを注意深くそっとポケットにおさめると、静かにギターを弾きはじめた。レイが元気になった夜、一番最初に弾いた曲を。音は乾いた空気をふるわせ、高い天井へと届き、僕らの全身をくまなく包み込むように響いてきた。それはそれは心地よく、自分が弾いているなんて信じられない気分になる。僕は僕の使命を一瞬忘れるほど、教会という共鳴装置の実力に圧倒されたけれども、そこに響いている音は紛れもなく僕のギターから生み出されているのだった。

メイより随分大柄のマルティンは、ポケットの中で十分な存在感がある上、ラテンの血が騒ぐのかリズムに合わせてその大きな体を振り子のように揺さぶっている。ルナの様子はわからない。けれど、僕にできるのは僕に弾けるだけの曲を聴かせてやることだけなのだから、マルティンに任せよう。そ

うして小一時間ほどが過ぎただろうか、ポケットからするりと僕の肩にのぼってきたのは、ほんの少し前には目を開けるのがやっとというほど衰弱していたルナ本人だった。しっかりした足取りで後ろ足で立ち、顔色も良さそうだ。何より、目の輝きが違う。利発そうな丸い目は、今も新しい音を響かせているギターに真っ直ぐそそがれている。

「銀鱗の楽士さまのギター、きれい。音も、形も」

ルナはそう言うと、僕ににっこり微笑んだ。

「ルナ、突然歩いて大丈夫なのかい？」

マルティンは心配そうにポケットからはい出てきて、ルナの横に寄り添った。床で集まって様子をうかがっていたマルティン一族の面々は、ルナのよく通る声を耳にして、ほっと安堵のため息をもらし、口々にまた「銀鱗の楽士さま」という言葉を囁きあっている。

僕はやっとそれで聴くことにしたんだ。

「ねえ、さっきから銀鱗の楽士って一体なんなの？」

「恐れながら、銀鱗の楽士さま。竜の鱗を持ち音楽で世界を回復させる力を持つお方、つまりあなたさまのことでございます」

灰色のマントを羽織り、同じ色のベレー帽を被った長老ネズミが一歩前に進み出て、僕を見上げて言うんだよ。

「言い伝えでは、世界のどこかに竜と共に暮らす人間がおり、その人間は地上の森羅万象すべての存在と友情を育み調和をもたらす、大変高い徳を備えていたそうです。太陽の名をもつそのお方は、リュートという弦楽器を奏で、竜と共に訪れる先々で動物たちの病を癒すばかりか、木々や草花、それらが根づく大地までをも癒す力をお持ちだったと聞きます。いつもリュートを背負い、銀の竜の背に乗って移動していたので、いつしかそれを目にしたものたちが誰からともなく「銀鱗の楽士」とよぶようになったといいます。私どもの何百代も前の祖先たちも、かつてここを訪れた銀鱗の楽士さまに病を癒していただいたことがあったと聞いています」

「だけど、僕は竜叶。その人じゃない、違う人間だよ。竜とは会ったこともないし」

「もちろん、そうでございましょう。ただ、あなたさまがこうして空を飛んでおいでくださったということは、本物の竜の鱗をお持ちだということに他なりません。その力を、私ども小さきものたちのためにお使いくださり、こうして私の曾孫の命までお救いくださるあなたさまは、現代に現れた銀鱗の楽士さまに違いありません。感謝申し上げます。ミル・グラシアス」

そう厳かに宣言する声が、教会の高い天井に響いたと思うと、マルティン一族の皆――元気になったルナ自身までもが、口々に最後のお礼の言葉を声に出したので、グラシアスの雨が天井からシャワーのように僕らに降り注いだのだった。

「ルナ、マルティン、よかったですね」

メイは、嬉し涙に頬を濡らすマルティンに、ハンカチを差し出し、レイは、ルナの傍に移動して

「こんなに早く元気になれるなんてすごいね。ボク、一晩中かかったよ。あー、でもよかった」

なんて話している。そんな会話を聞きながら、僕は、マルティン一家の信じる力の強さがルナをこんなに早く回復させたのだろうと確信していた。だって、伝説通り空から楽器を持った人間がやってきたら、あとは奇跡が起こるほかないじゃない。

できれば念の為、一晩だけでも泊まってルナの様子を見てくれないかというマルティンの申し出を断り、僕らは帰ることにした。調子が悪くなれば、また竜のスピードですぐにやってくるよ。そうマルティン家のみんなに約束して。

二回目の空の旅は、もう慣れたものさ。メイとレイが左胸のポケットにおさまったのを確認して、一斉に呪文を唱える。行き先は僕らの家。

「せーの、ドミンゴ・ドランゴ・ドインゴ」

左腕のバングルから強力な光が放射され、ふわりと体が宙に浮き、あっという間に竜のスピードで地は遠ざかっていった。先ほどまでいたはずの教会の丸い屋根も、いつの間にかビー玉からビーズ玉の大きさになりやがて見えなくなった。それから、地上を見下ろす格好で手足を広げて緑の大地を西に向かって進みはじめた時だった。一面の光に煌めく銀色の何かが空を進む僕の足元からヌッと現れたと思うと、突然眼下の緑色は視界から消え、今の今まで浮遊していた僕の体はその大きな何かに持ち上げられるような形で着地したのだった。その手触りはきめ細やかでひんやりと心地よかった。

僕が呆気に取られていると、深みのある声が聞こえてきたんだ。

「竜のウロコを使って空を旅するものと出会ったのは何百年ぶりだろう。その鱗は私のものなのだよ。ずいぶん昔のものだから、大きさは今のものに比べればずいぶん小さいが、こうして空を飛ぶ君たちに出会えたということは、鱗とともに伝えた呪文が正確に語り継がれていたのだな」

「はい。私が正確にお伝えいたしました」

メイは胸を張って誇らしげに言った。

「竜のスピードって本当にすごいね。まさかその日のうちにブエノスアイレスってところまで行けるなんて思ってもみなかったよ」

レイが無邪気に言う。

「私たちは最短距離を行けるからね。なかなかいいものだろう」

「うん！」

僕が乗っているのが竜の背で、その竜が話していると理解するまで、ずいぶん時間がかかった気がしたが、メイとレイは、普通に会話するものだから、僕も少しずつ落ち着きを取り戻していった。

「あの……じゃあ、あなたが銀鱗の楽士のお友だちの竜？」

恐る恐る聞くと、竜はさも当然というように
「ああ。ソルが去ってもう何百年も、こうして共に空を飛んだ人間はいなかったから、君たちを見つけてどれだけ嬉しかったことか」

「どうして僕らのことがわかったの？空はこんなに広いのに」

するると、竜はなんでもないというように言った。

「どれだけ遠くにいてもわかるさ。だって流れてくる風の匂いが違うもの。君が持っている私の鱗から、懐かしい匂いがするんだ。君たちがブエノスアイレスに着く頃にはもう追いついていたのだが、教会の中に慌ただしく入って行ったきりだから、私は教会の屋根にとどまって、君が奏でる音楽に耳を傾けていたのだよ。君の軽やかなギターの音色は、不調を霧散させ、内なるエネルギーの廻りを助ける力をがある。何もかもを調和に導く響きだった。いやあ、見事だったよ。ソルが奏でるリュートの音色を思い出すなあ」

竜に褒められるなんて予想外だが、悪い気はしない。

「ねえ、君にお願いしたいことがあるんだ。君さえよければだが、私と友だちになってはくれまいか。そして時々、私の古くからの友たちに、君の演奏を聴かせてやってはくれないだろうか。ソルを失ってから、もう長いことみな音楽とは無縁で暮らしてきたものだから、君の音楽に触れるときっと喜ぶはずだ。何より私が一番近くで聴いていたい」

「僕の名前、竜が叶うと書いてリュートっていうんだ。あなたの願いを叶えるのは、僕の天命みたいなものかもね」

「竜叶。今日はなんていい日だろう！　私の名はクリストファー。クリスと呼んでくれ」

「クリストファー……クリス」

僕がその名を口にすると、竜の背の一部分と僕の左腕のバングルが同時にぼうっと光だし、やがて元に戻った。

「これで私たちは正真正銘の友だ。末長く共にいよう」

「クリス！　ボクはレイ。ママはメイだよ。ボクらも友だちね」

「ああ、レイ。メイも、そしてこれまで僕の鱗とその呪文を守り、語り継いできた君たちのご先祖たちにも感謝するよ」

「まさか私の代で、伝説をこの目で見られるとは思ってもいませんでした。クリス」

メイがしみじみ言うと、

「伝説はこれからはじまるのさ。ルネサンスギターを背負った竜叶と私のね」

クリスは、森の奥の深い湖のような大きな青い目でウインクして、僕を見た。そして、

「さあ、第一楽章のはじまりだ。しっかりつかまって！」

そう言うと、前方を見据えてグンとスピードを上げる。風と一体化して進む僕らの耳には、ここにいる互いの鼓動と呼吸音以外には、どんな音も届かない。クリスの息はどこまでも深く長く、鼓動は僕の早すぎるリズムと時たま重なり合うように力強く響いている。竜の時間、ねずみの時間、人間の時間。重なり合う今が伝説になっていく。語り継ぐものとしてではなく、生きるものとして。

あとがき

「自分の鉱脈を探せ」

その力強い言葉と一貫した態度で、学生を勇気づけ、そのための時間と場を与えてくださったのが、大学・大学院時代の恩師・村山正治先生です。

今年二月三日に九十歳を迎えられた村山先生は、今なお現役。社会への関心を持ち続け、静かなる革命家としての生き様を、第一線で見せてくださっています。そんな村山先生から、私が受け取ったメッセージや、思い出のカケラを集めて紡いだ物語が、表題作『鉱脈』です。まだ鉱脈を見出せていない誰かにも、私が支えられた村山先生の声と言葉と佇まい、あたたかな眼差しのエッセンスをお届けし、応援できないものか。そんな思いから生まれました。

長年にわたる村山先生からの励ましのおかげで、私は私自身の鉱脈を探しあて、今も追求し続けています。それは、人生を費やすに値する大きな喜びです。改めて感謝申し上げます。

読んでくださった方の鉱脈探しの旅が、安全に守られ、祝福に満ちたものでありますように。

『山ねこの里のたんじょう祭』は、今年五月に五周年を迎えた福岡県篠栗町にあるフリースクール山ねこのために生まれました。校長役の田中歩さんはじめ、スタッフのみんなは愛とエネルギーにあふれ、そこに集うひとりひとりの生き生きした様子は、物語の雰囲気そのものです。かくれやまねこになりたい方は、ぜひ現地を訪ねてみてくださいね。山ねこでは、私と同じく、山ねこを深く愛してやまない臨床美術士の黒木彩さんの絵による、絵本版を見ることができます。彩さん、彩り豊かな世界をありがとうございました。大好きなこの場所が、これからも末長く続いていきますように。

その他の物語も、それぞれに思い入れがある作品です。日々の暮らしに紛れてしまいがちな、だけど大切にとっておきたい美しい瞬間や、誰かの小さなやさしさ、忘れがたい名言、そうしたものたちを、物語というアルバムにそっと収めるようなところがあったからなのでしょう。これらのうちの一つでも、気に入っていただけたとしたら、とても嬉しく思います。

絵本『鳥たちは空を飛ぶ』の作者として憧れを抱いていた目黒実先生と出会い、『物語スコーレ』で物語を紡ぎはじめて五年。

「スコーレ」とは、「遊びと学びと余暇」を意味するギリシャ語で、スクールの語源なのだといいます。月一回の『物語スコーレ』では、毎回、事前に課題が出され、各自がテーマに沿った独自の作品を持参し、当日は自分の声で発表します。

クリスマス、ギフト、音楽、満月カフェ、のぞき穴、ぼくのかばん・わたしのかばん、曲の名を冠した物語……。テーマは、毎回バラエティに富んでいて、それがあったからこそ、生まれた物語がいくつもあります。物語から広がるその時々の目黒先生のお話は、創造性の窓を大きく開け放ち、その先の景色に誘う魅力にあふれています。

もし、この本に他のタイトルをつけるとすれば、『スコーレの実』になっていたはずです。『物語スコーレ』という木に実った物語という果実たち。養分は、目黒先生の豊かな知識と自由な発想力。日の光は、そこに集う仲間たちが醸し出す、伸びやかで愉しげな雰囲気と、耳を傾ける力。私にとって、『物語スコーレ』で物語を紡ぐ作業は、私という人間が見聞きし、直接体験した記憶の引き出しの中から、課題という刺激に反応して引き出された断片を、無意識に漂う中でのみ手に入る、特別な糸で縫い合わせていくような作業です。それが、今では私にとってかけがえのないものとなっています。共に物語を生み出し、味わい、語り合える仲間の内にいられる幸運に、心から感謝しています。スコーレでご一緒する皆様、これからもよろしくお願いします。

今回、細々と書き溜めた物語を、こうして本の形にまとめられたのは、他でもない目黒実先生と、アリエスブックスの山下麻里さんのお力添えのおかげです。大のお気に入りの絵本『鳥たちは空を飛ぶ』と同じ出版社から、まさか自分の本が世に出ることになるとは想像もしていませんでした。マイペースな私に寄り添い、耳を傾け、勇気づけてくださり、本当にありがとうございました。

私の記憶を構成する、これまで出会ってきたすべての人、森羅万象すべての存在にも、最大限の感謝を！

鉱脈

二〇二四年七月二十九日　第一刷発行

著　黒瀬まり子

発行者　山下麻里
発行所　株式会社 アリエスブックス　福岡市南区野間三 - 二〇 - 十二
電話　〇九二 - 二一五 - 六三九〇
装丁　山下麻里
印刷・製本　城島印刷 株式会社

 ISBN 978-4-908447-10-5　C0093　Printed in Japan